MET OPGEHEVEN HOOFD

KRISTIANA VALCHEVA

Met Miroluba Benatova
en Marie-Thérèse Cuny

Met opgeheven hoofd

Een Bulgaarse verpleegster
over haar acht jaar in een
Libische gevangenis

Artemis & co

Vertaald uit het Frans door
Anne van der Straaten en
Harrie Nelissen

ISBN 978 90 472 0049 9
© Oh ! Editions, Paris, 2007. All rights reserved
© 2007 Nederlandse vertaling Artemis & co, Amsterdam
Oorspronkelijke titel *J'ai gardé la tête haute*
Oorspronkelijke uitgever XO Editions
Omslagontwerp Janine Jansen
Foto voorzijde Mahmud Turkia (AFP)
Foto achterzijde Thomas Coex (ANP)
Redactie en productie Asterisk*, Amsterdam

Verspreiding voor België:
Veen Bosch & Keuning uitgevers n.v., Wommelgem

I

EEN KWADE DAG

Het is tijd om naar huis te gaan. Het begint donker te worden. Ik ga op zoek naar de plek waar ik mijn auto heb geparkeerd. Denka, een vriendin, is bij me. We komen terug van een wandeling door de straten van Benghazi.

Plotseling kijkt Denka omhoog naar de maan, die al aan de hemel staat. Ze blijft maar naar boven staren, zo te zien is ze elders met haar gedachten. Als in trance.

'Vandaag is een kwade dag!'

Op dat moment heeft haar opmerking iets onwezenlijks. Ik ken Denka nog maar kort. Ze is charmant, aangenaam gezelschap en zegt over paranormale gaven te beschikken.

We hebben gezellig een dagje gewinkeld. Ik wilde iets leuks kopen voor haar verjaardag, maar ze vond niets naar haar zin. Voor mezelf heb ik een jurk, twee kilo grapefruits en een ontstoppingsmiddel voor de afvoer gekocht.

Denka blijft nog even gefascineerd naar de maan kijken. De tijd staat die paar seconden stil, zo lijkt het, en dan draait ze zich ineens glimlachend naar me om, alsof ze na een verre reis weer met beide benen op dit stukje grond staat. Helemaal zichzelf. 'Waar is de auto?'

Ik zet haar bij haar huis af zonder verder acht te slaan op haar eerdere opmerking. Dan rijd ik om het verpleegstersblok heen en stop voor mijn eigen woning.

De koplampen van een auto die voor de gebouw geparkeerd staat, verblinden me volledig. Ik stop. Er komen mannelijke gestalten op me af. Ik herken ze niet, op dokter Saad na, de directeur van het Aouari Ziekenhuis, waar ik op de afdeling hemodialyse werk. Hij is ook secretaris bij Volksgezondheid. Ik ken hem al sinds mijn aankomst in Libië acht jaar geleden. Mijn man (die mij na een paar maanden is gevolgd) en ik zijn bevriend met hem geraakt, al zien we hem de laatste tijd niet meer. Ik dacht dat hij op vakantie was, maar iemand zei me dat hij was opgepakt. Waarom was niet bekend. Ik maakte me niet erg ongerust over hem; het ging vast om een kleinigheid en ze zouden hem niet lang vasthouden. Zelfs in deze politiestaat zouden zijn functie en status hem wel beschermen.

Ik glimlach dus naar Saad, een beetje verbaasd hem met die vier onbekende mannen te zien. Normaal komt hij altijd in zijn eentje bij ons langs. Nu maakt hij een gegeneerde indruk, hij houdt zijn ogen neergeslagen. En hij stelt me niet aan de anderen voor. Een van de mannen, wiens gezicht ik in de schemering nauwelijks kan ontwaren, gunt me de tijd niet om ook maar een woord uit te brengen: 'We moeten bij u thuis zijn!'

Ik vraag niet waarom. Ik ben een buitenlandse vrouw die op contractbasis in Libië werkt, en ondanks mijn onverzettelijke karakter en mijn vrijheidszin heb ik in al die jaren wel begrepen dat mannen hier de dienst uitmaken.

De vier mannen lopen mijn woning binnen zonder ook maar iets tegen me te zeggen en beginnen al mijn laden te doorzoeken. Ze vragen niets en ik stoor hen ook niet tijdens deze bizarre, langdurige inspectie. Ze kijken in kledingkasten, in de koelkast, in keukenkastjes. Rustig en zonder wat te zeggen help ik hen daarbij. Ze zien een kastje boven de geiser waar we rommel in opbergen. Ik maak het open. Er staan vijf lege flesjes in.

'Wat is dat?'

'Het zijn lege plasmaflesjes. Mijn man heeft ze hier drie maanden geleden opgeborgen. Hij wilde ze mee terugnemen naar zijn werk.'

Zdravko, mijn man, is arts en werkt op dit moment op achthonderd kilometer van Benghazi in de Libische woestijn, voor een gigantische Koreaanse onderneming.

Nu doorzoeken de mannen onze lade met privéspullen. Daar liggen onze identiteitsbewijzen, de brieven die mijn man me vanuit de woestijn heeft geschreven, foto's van onze feestjes en van ons op het strand met een clubje vrienden. Vrolijke herinneringen aan de afgelopen acht jaar. Alle gelukkige momenten uit ons leven in Libië liggen in die la, meer dan duizend foto's netjes in mapjes opgeborgen. Een simpel, gewoon, vaak vrolijk leven met een paar reizen, fantastische weekends aan zee en gezellige avonden met vrienden. Stukjes van mijn leven waaraan ik gehecht ben.

Ze nemen ze mee. Het stemt me droevig ze in hun handen te zien. Zonder te weten dat ik ze nooit meer terug zal zien, vraag ik aan Saad, die de spaarzame Arabische woorden van de vier 'bezoekers' vertaalt: 'Ik krijg ze toch wel terug?'

'Ja. Hebt u een hoofddoek?'

Die heb ik. Buitenlandse vrouwen zijn in Libië niet verplicht een hoofddoek te dragen, behalve in zeer speciale gevallen. Ze willen me zeker ergens mee naartoe nemen waar het gepast is om met bedekt hoofd te verschijnen, misschien naar een hoge baas. Ik ben niet bang; deze mannen zullen mij niet lastigvallen. Waarom zouden ze een eenvoudige Bulgaarse verpleegster lastigvallen? Maar Saad zit misschien wel in de problemen. Toen zijn mobiele telefoon ging, nam hij niet zelf op maar gaf hem aan een van de mannen, die in zijn plaats in het Arabisch antwoordde. Ik vraag me af wie die lui in burger zijn, naar wier pijpen hij zo te merken danst.

Nog steeds gegeneerd deelt hij me mee, zonder me aan te kijken: 'Je moet een uurtje met ons mee. Ze moeten iets natrekken.'

Er wordt me gevraagd om voor ons vertrek alle elektrische apparaten uit te schakelen en al mijn kostbaarheden te pakken, en wel snel.

Ik heb een paar ons gouden sieraden, parels en diamanten en 1300 dollar. Ik stop alles in mijn tas. Alleen mijn paspoort blijft achter in de la. De mannen wisten dat ze later weer bij me langs zouden gaan, want het paspoort zou na verloop van tijd onder afschuwelijke omstandigheden weer opduiken.

Vanaf het moment dat ik mijn 'eigen stek' verliet zou niets er verder meer toe doen. Ik zat in de val. En naïef als ik was, voelde ik geen angst. Want waarvoor moest ik bang zijn? Ik had nog nooit ook maar de kleinste overtreding begaan, ik had niets uitgespookt wat me narigheid kon bezorgen in dit land. Behalve met dokter Saad, mijn baas en vriend, liet ik me niet met Libiërs in. Geen alcohol in het openbaar, geen verkeersovertreding... Niets.

Ik wil achter het stuur van mijn auto gaan zitten, maar een van de mannen pakt mijn sleutels af en duwt me op de achterbank. Hij neemt plaats achter het stuur en een ander gaat naast hem zitten. Saad stapt in de andere auto.

En nu ontdek ik waarvoor de hoofddoek bedoeld was. Ik word geblinddoekt. Het is geen arrestatie; het is een ontvoering. Het is donker, mijn enige getuige is dokter Saad, en ik word geblinddoekt afgevoerd door de vier mannen, zonder te weten waarheen of waarom.

Ik zeg niets; vragen stellen heeft geen zin. In dit land krijg je

daar toch nooit antwoord op. Bang ben ik nauwelijks, gewoon-
weg omdat ik geen idee heb wat me te wachten staat en ik er
zeker van ben dat ik over een uur weer thuis zal zijn en dat het
mysterie dan opgehelderd is.

We zijn er, de auto stopt. Ze laten me uitstappen en nemen
me mijn tas af met daarin mijn kostbaarste bezittingen – sieraden en geld. Ik moet doorlopen. Door de doek heen kan ik
vaag een man met wit haar onderscheiden. Ik let vooral op zijn
handen, die mijn tas vasthouden. Ik hoor hem vlak bij me
mopperen: 'Het kinderziekenhuis is één grote vuilnisbelt. Het
zou opgeblazen moeten worden!'

Die stem herken ik: een soort hondachtig gegrom dat me op-
viel toen ik het op een dag hoorde op de dialyseafdeling van
het Aouari Ziekenhuis. De opvolger van Saad, die tijdelijk was
overgeplaatst, had indertijd verzocht met spoed zijn hele team
en de patiënten te onderzoeken op hepatitis B en aids. Het gebeurde misschien wel op uitdrukkelijk bevel van de politie.
Voor het laboratorium stond een politieagent met een kalasj-
nikov. En ik zag toen een man met een witte haardos, met een
stem die deed denken aan het grommen van een hond. Ik kon
niet weten dat die mijn leven volledig zou veranderen. Destijds had ik geen acht geslagen op wat er gebeurde. Gewapende
mannen waren niets bijzonders. Sinds ik in een politiestaat
woonde was ik eraan gewend, net als iedereen. Ik had wel begrepen dat er problemen waren in het kinderziekenhuis, waar
een paar patiëntjes besmet waren met het aidsvirus, maar daar
had ik als verpleegster niets mee te maken, omdat ik er niet
werkte. Deze man met zijn schorre stem, die ik al eens bevelen had horen blaffen op de gang van mijn afdeling, houdt dus
mijn tas vast.

Hij staat naast me en buigt zich zodanig naar me toe dat ik
zijn geur kan ruiken. Ik kan me onmogelijk vergissen. Het is

niet zomaar een geur; ik ruik mijn eigen parfum. Mijn Yves van Yves Saint Laurent. De 'Hond' is bij mij thuis geweest, hij heeft aan mijn spullen gezeten, hij wil me duidelijk maken dat hij op mijn grondgebied heeft gejaagd en een geurige jachttrofee mee terug heeft gebracht.

Later zal die Hond zich mijn geur daadwerkelijk toe-eigenen.

Terwijl ik daar in het donker sta, die merkwaardige avond, begrijp ik nog steeds niets van wat er gaande is. Mijn vriendin Denka had dus gelijk? Welke boodschap had ze gelezen in de maan, die me nu niet eens bijlicht? Ik word door mannenhanden voortgeduwd. Ik moet ergens instappen. Ze laten me zitten en binden mijn handen vast. Ik heb de indruk dat ik in een stilstaande bus zit.

Het is fris, ik ben slechts gekleed in een flinterdunne trui en een spijkerbroek en ben dus niet voorbereid op een reis. Ik hoor gekuch en begrijp dat ik niet alleen ben.

'Wie ben jij?'

'Ik heet Kristiana.'

'Waar werk je?'

'Op de hemodialyse van het Aouari.'

'Wat doe je hier?'

'Ik weet het niet. En jullie? Wie zijn jullie?'

'Wij zijn verpleegsters van het kinderziekenhuis.'

Later hoorde ik dat de vrouw Valya heette. Achter mij hoorde ik de stemmen van twee andere verpleegsters: 'Is zoiets jou al eerder overkomen?'

'Nee, nog nooit.'

Meteen vanaf het begin heb ik het gevoel terecht te zijn gekomen in een slechte film. Ik vraag me van alles af maar ben nog steeds niet bang. Het is een gevoel dat ik mijn hele leven nog nauwelijks heb gekend. Al vanaf mijn jeugd ben ik gehard.

Ik heb het wel koud en moet naar het toilet. Ik heb een aantal keer met luide stem gevraagd of ik erheen mocht. Dan word ik voor het eerst geslagen: een klap in mijn nek.

Ik ben geschokt maar blijf toch aandringen, totdat iemand toegeeft en me erheen brengt. Ik begin te lopen en heb al snel het idee in de hal van het kinderziekenhuis terecht te zijn gekomen. En ik heb gelijk, later verneem ik dat de bus inderdaad op de binnenplaats van dat ziekenhuis stond om verpleegsters op te halen.

Opgelucht stap ik weer in de bus om plaats te nemen op mijn stoel, nog steeds geblinddoekt. Weer word ik in mijn rug geduwd en dit keer krijg ik ook nog plakband over mijn mond. Blijkbaar ergeren onze begeleiders zich aan mijn protesten. Zo te horen worden de anderen op dezelfde manier gekneveld.

De bus rijdt weg.

Dit is het begin van de langste reis van mijn leven. Een helse reis in etappes.

Ik heb geslapen. Ik heb het vermogen om als het moet het leven te nemen zoals het is. Ik kan me goed aanpassen aan situaties en mensen.

De bus stopt tegen zonsopgang, ergens buiten de bewoonde wereld. Verlost van de blinddoek kijk ik om me heen. Voor het eerst zie ik nu de gezichten in de bus: een paar mannen en zo'n twintig vrouwen die ik geen van allen ken. Klaarblijkelijk zijn sommigen op hun werk opgehaald, want ze dragen hun uniform nog. Anderen, zoals ik, zijn thuis opgepakt. Om ons heen zien we een plat, woestijnachtig landschap zonder ook maar één herkenningspunt.

We frissen ons in stilte op met wat water. Er worden sandwiches uitgedeeld. De lelijke man met het witte haar en de vreemde stem sist gemeen, op spottende toon: 'Nu neem ik jullie mee naar een vijfsterrenhotel!'

Ik blijf denken dat ik er helemaal buiten sta; het is te absurd voor woorden. Ik heb niets met de anderen te maken, ik ken ze niet eens. Ik neem aan dat ze in het kinderziekenhuis werken. Benghazi is groot en het staat niet in mijn deel van de stad.

Ik herinner me net als veel anderen het gerucht te hebben gehoord dat de ronde deed over dit ziekenhuis, zes maanden eerder. Er werd gezegd dat er talloze kinderen besmet waren met aids, maar ik had er verder niet naar geïnformeerd. Ik had daar geen vrienden. Voor mijn gevoel speelde die kwestie zich ver van mijn bed af, net zo ver als het conflict over de Gaza-strook. Dokter Saad had het er één keer over gehad en vertelde daarbij dat er twee Filippijnse vrouwen waren gearresteerd. Ik had zijn vreselijke verhaal aangehoord zonder er verder veel aandacht aan te schenken. Zo maakte ik me ook niet ongerust toen ik vernam – van een Filippijnse, geloof ik – dat Saad was opgepakt. Het was niet bij me opgekomen dat zijn naam met de mijne in verband zou worden gebracht, en al was dat wel zo geweest, dan nog had ik de gevolgen ervan niet kunnen voorzien en deze nachtmerrie niet kunnen voorkomen.

Het feit dat er zo'n grote groep in deze bus zat, stelde me aardig gerust: het gaat weer voorbij, voorbij, voorbij, zo dacht ik.

Maar het ging niet voorbij.

Aan het einde van die urenlange busreis moesten we uitstappen voor een somber gebouw met kapotte ruiten dat al jaren niet meer was schoongemaakt. We waren ergens in Tripoli.

Later vernam ik dat het om het politiebureau in de Nasser-straat ging. Ik zag dat Saad er ook was. Zijn broekriem werd hem teruggegeven; hij was bleek, bang en had een radeloze blik in zijn ogen.

Hij ging weg. Wij bleven achter, in een cel zonder raam met een peertje aan het plafond en smerige kleden vol ontlasting. Daar moesten wij, een twintigtal vrouwen, allemaal met de Bulgaarse nationaliteit, opeengepakt blijven zitten.

Vervolgens kwam Salma, de bewaakster. Ze kende drie woorden Engels en kon slechts het volgende antwoorden: *'Maybe toe, frie days.'*

Ditzelfde moest ze met haar Libische accent tegen alle vrouwen hebben gezegd die hier terechtkwamen, stampvoetend op deze immens gore, stinkende vloer.

Misschien een dag of twee, drie... Voor mij zou het veel langer duren. Acht lange jaren. Maar op dat moment kon ik me dat met geen mogelijkheid voorstellen.

Intussen moesten we ons maar zien te redden. Een verpleegster die was opgepakt aan het einde van haar nachtdienst had haar ontbijt bij zich. Ze haalde een broodje van bladerdeeg tevoorschijn dat we in twintig stukjes verdeelden.

Ineens hoorden we lawaai. Iemand kwam schreeuwend binnen: 'Kristina!'

Een van ons, die Kristina heette, stapte naar voren. Weer brulde de man: 'Niet jij, zij!'

En hij wees naar mij. In die afschuwelijke periode van mijn leven werd er voortdurend naar mij gewezen.

Ik zou de onderzoeksmethoden van de Libische politie van nabij – van zeer nabij zelfs – leren kennen.

Vernederingen, martelingen, doodsbedreigingen... Ik werd meegesleurd door een maalstroom van ellende, bedoeld om me klein te krijgen.

Ik werd uit de cel gehaald en meegenomen naar een auto waar Saad en de Hond al in zaten. De auto reed weg en de Hond bestookte me met vragen: 'Waar werk je? Hoe heet je?'

'Aouari Ziekenhuis. Afdeling hemodialyse. Ik heet Kristiana Valcheva.'

'Sinds wanneer ben je in Libië?'

'1991.'

Vervolgens kwamen we in een kantoor waar een kale, ge-

drongen man, een politieman, me routinevragen begon te stellen. Saad zat zwijgend op een oude sofa. Hem werd niets gevraagd.

De Hond kwam weer terug. Hij richtte zich tot Saad: 'Is zij
het?'

'Ja.'

Ik begreep er nog steeds niets van. We werden meegenomen
naar een ander bureau. Het was laat en het begon al donker te
worden. Een dag eerder was ik rond dat tijdstip uit Benghazi
verdwenen. Mijn man Zdravko bevond zich honderden kilometers verderop in de woestijn. Hij had vast al gebeld en me
niet thuis aangetroffen. En ik realiseerde me dat niemand in
Benghazi wist waar ik was. Zdravko zou zich natuurlijk ongerust maken. Ondertussen stond ik alleen tegenover een
nieuwe inquisiteur. Een onbekende man, ook kaal, ergens in
de zestig en nogal knap. Een generaal. De chef van de speciale
groep die onderzoek deed naar de aidsepidemie in het kinderziekenhuis van Benghazi.

Toen ik hem beter leerde kennen, vond ik maar één woord
om zijn gedrag te omschrijven: schizofreen. Hij was geweldda-
dig, wreed, pervers, gevaarlijk. Net als dat soort zieken van
geest veranderde hij steeds van gemoedstoestand.

Hij moest leiding geven aan wat hij beschouwde als een 'opdracht'. Hij was de chef. Hij had alle macht. Verder was er nog
de directeur van het virologisch laboratorium van Tripoli. Tot
slot een man in burger, een arts, de enige in de ruimte die
Engels sprak. Deze man met zijn zware wenkbrauwen en
kroeshaar moest de vragen van de 'Generaal' voor mij vertalen
en keek me daarbij boosaardig aan. De andere twee luisterden.
Ik zag de drie mannen voor het eerst van mijn leven.

'Waar werkt je man? Wie zijn je vrienden? Libiërs? Met wie
ga je uit?'

'Ik heb niet veel contact met Libiërs. Alleen dokter Saad ken ik, en een vriend, Nasser. Heel gewone mensen. Mijn vrienden zijn voornamelijk buitenlanders, collega's van mijn man, van uiteenlopende West-Europese nationaliteiten. Ik ken veel Bulgaren, maar voor het merendeel alleen van gezicht. Met slechts een paar ben ik werkelijk bevriend.'

'We laten je al zeven maanden volgen, dus je kunt maar beter alles zeggen!'

Ik geef geen antwoord. Het is te belachelijk. Wat hadden ze kunnen ontdekken door me te volgen?

Ik ga naar mijn werk, doe boodschappen en breng soms de avond door in de villa van mijn vriend Nasser. Mijn dagelijkse leven was al die jaren heel gewoon geweest, zonder enige uitzondering. In ieder geval niets waar ik last mee zou kunnen krijgen.

Op dat moment neemt de Generaal het woord: 'Wat weet je van de aids in het kinderziekenhuis?'

'Niets. Alleen dat er kinderen besmet zijn, maar ik heb niets te maken met dat ziekenhuis. Het is een afschuwelijke tragedie. Ik ben moeder en begrijp hoe vreselijk het moet zijn. Maar verder weet ik er niets van.'

'NEE! Je liegt! Je gaat ons alles vertellen, want we WETEN dat je het WEET!'

Toen werd ik bang. Ik was daar niet bij toeval. Ik werd niet aangezien voor een ander. Innerlijk begon ik te beven. Mijn lippen waren droog, ik had ontzettende dorst. Ik vroeg om water. Op sarcastische toon antwoordde hij: 'Ben je suikerpatiënt?'

'Nee, ik heb alleen dorst.'

De Generaal ging verder: 'Zit de Mossad achter deze operatie?'

Toen ik hoorde spreken over de Mossad, kon ik nauwelijks

meer een woord uitbrengen. Van afschuw deed ik net alsof ik niet begreep wat hij vroeg. Dus herhaalde hij steeds weer: 'Mossad, Mossad, Mossad... De aids, het kinderziekenhuis, je WEET het wel! Het is de Mossad. Help ons zodat wij op onze beurt jou kunnen helpen.'

Het koude zweet brak me uit. Ik wist waar het kinderziekenhuis stond, ik wist dat aids de pest van deze eeuw was en dat de Mossad de inlichtingendienst van Israël was. Meer wist ik niet.

'Als u een leugendetector heeft, laat me dan een test ondergaan om u ervan te overtuigen dat ik niets weet.'

Ze antwoordden honend: 'Je bent opgeleid door de Mossad, dus je bent ertegen bestand.'

De Hond nam het over. Hij gromde telkens dezelfde vragen. Ik had geen enkel besef meer van tijd. Uren verstreken en ik weet niet eens meer hoe die nacht is afgelopen. Vanaf dat moment begonnen al mijn nachten in elkaar over te vloeien. Ze stopten me in een isoleercel van een meter tachtig bij een meter vijftig. Met alleen een vieze matras achter een metalen deur. Via de tralies naar de gang kwam er wat lucht en licht binnen. De cel had geen raam. Niets om me te oriënteren behalve het geluid van de metalen deur die in het slot viel. Overdag de matras, 's nachts het verhoor.

Mijn vriendin Denka had enige tijd daarvoor mijn horoscoop getrokken en gezegd: 'Je zult helemaal alleen iets heel moeilijks doormaken.'

Ze heeft gelijk gekregen: ik was helemaal alleen met allerlei vragen waarop ik geen antwoord wist.

Als om mijn gevoel te bevestigen kwam de Hond aanzetten met een briefje dat ze hadden gevonden op de deur van mijn appartement. Hij wierp het in mijn gezicht en brulde: 'Wie is dat?'

Ik las: 'Krissy, bel me als je terug bent. Denka.'

Ik was de dag na mijn arrestatie niet op mijn werk verschenen en Denka was me gaan zoeken. Ik heb haar nooit meer teruggezien.

Terwijl ik in elkaar gedoken lag op een matras die stonk naar urine en menselijke aftakeling gingen de uren traag voorbij, als in een halfslaap – maar indommelen deed ik niet. Al die vragen die in mijn hoofd bleven rondtollen. Af en toe zag ik de ogen van bewaakster Salma voor het kijkgaatje verschijnen. Ze keek naar me alsof ze verwachtte op die manier iets te kunnen ontdekken. Zo bespioneerde ze me vaak – een gezicht dat weer even snel verdween als het was verschenen.

Later werd er zwart plastic over de opening gedaan, en vanaf dat moment heb ik geen streepje licht meer in de cel gezien. Pikdonker was het.

2

WAAROM WIJ?

Ik ben niet gek geworden. Ik heb niet gehuild. Maar bang, ja bang was ik nu wel. Om die angst te bestrijden deed ik in het donker buikspieroefeningen. Ik begon te lopen, uiteraard niet ver, maar heen en weer in de cel. Voor mijn behoeften had ik een kartonnen doos en een lege melkkan.

Als mijn eten werd gebracht, stond de deur vijf minuten lang op een kier, en in die tijd moest ik naar binnen werken wat de pot schafte. Over het algemeen macaroni of rijst, een minuscuul stukje vlees, een sinaasappel, brood; dit alles gepresenteerd op een ijzeren dienblad met twee holtes erin. De ene voor het eten, de andere voor het brood en de sinaasappel. Ik had de moed niet om te eten. Een paar happen en mijn samengeknepen maag zat vol. Het was waarschijnlijk smerig, maar dat besefte ik niet eens, ik proefde niets meer. En in mijn hoofd tolden onophoudelijk dezelfde vragen in een poging me het verloop te herinneren van de gebeurtenissen rond die aidsepidemie waarvan ik amper iets wist.

Ik wist er veel te weinig van, en zelfs al had ik er meer van geweten, dan zou dat mijn lot zeker niet hebben veranderd. Maar dit is wat ik te weten ben gekomen over de oorzaak van deze nachtmerrie.

Tijdens de zomer van 1998 infiltreren politiemensen in bur-

ger in het kinderziekenhuis met maar één doel: spioneren.
Niemand besteedt aandacht aan hen. In de herfst van datzelfde
jaar waarschuwt de Turkse consul in Tripoli zijn Bulgaarse collega's dat er een onderzoek gaande is naar de aidsepidemie, en
dat Bulgaars medisch kaderpersoneel in de problemen zou kunnen komen. Niemand heeft ons echter gewaarschuwd – er is
niet eens een Bulgaars consulaat in Benghazi.

Op 17 december 1998 stapt Abdul, de vertaler van mijn verhoren die zo gemeen uit zijn ogen kijkt, degene die ik de bijnaam 'de Chemicus' heb gegeven, voor de eerste keer het kinderziekenhuis van Benghazi binnen. Hij stelt zich voor als een
arts uit Tripoli. De directie roept het dienstdoend personeel
bijeen. Abdul vertelt hun het volgende: 'Ik ben hier om onderzoek te doen naar de aidsgevallen in dit ziekenhuis. Als jullie
er iets van weten, vertel het me dan; ik beloof het anoniem te
houden.'

Wie is deze man? En wat zegt hij eigenlijk? Feit is dat de politie in december een aantal verpleegkundigen verhoort en
hun vragen stelt over een Libisch kind dat kort daarvoor is
overleden. De Chemicus verzamelt anonieme getuigenverkla-
ringen over de meest uiteenlopende onderwerpen. Het hele
personeel komt aan de beurt en een stortvloed van feiten en
geruchten breekt los.

Er wordt gezegd dat het ziekenhuis een 'ongeorganiseerde
bende' is, dat er helemaal geen toegangsregels zijn. Ouders komen tijdens de bezoekuren smerig en onder het stof langs,
zelfs in de behandelkamers. Niemand kan hen hiervan weerhouden, zeker de buitenlandse verpleegkundigen of artsen
niet. Als hun verboden wordt in bepaalde ruimten te komen,
vatten ze dit op als een belediging en dienen een klacht in.
Ook doen er zich gevaarlijke situaties voor, uitsluitend door
onwetendheid. Kinderen die niet ernstig ziek zijn krijgen toch

een kapje voor. Met een bevolking die er twijfelachtige hygië-neregels op na houdt, is het moeilijk ervoor te zorgen dat der-gelijke hulpmiddelen voortdurend steriel zijn, wat vaak infec-ties tot gevolg heeft. Er zijn drie van zulke kapjes, die met alcohol worden gereinigd, op veertig kinderen. Er is geen zeep, soms zelfs geen water, en dit geldt niet alleen voor het kinder-ziekenhuis maar ook voor de eerste hulp van het Djallah, waar twee miljoen mensen per jaar worden behandeld. Het lijkt daar wel een hospitaal in oorlogstijd. Soms moet tijdens be-zoekuren de politie worden ingeschakeld om een beetje orde op zaken te stellen. In de kraamkliniek Jamahiriya worden ie-der etmaal zestig kinderen geboren. Het komt voor dat de ver-loskundigen niet eens tijd hebben een andere schaar te pakken voor de volgende navelstreng. Onder deze omstandigheden brengt de bevalling van een seropositieve moeder onvermijde-lijk een hele reeks besmettingen met zich mee.

Op de dialyseafdeling van het Aouari Ziekenhuis hadden we niet zulke ernstige problemen, maar in andere ziekenhuizen heerste complete anarchie. Terwijl er idioten met geld in mooie auto's rondreden en zich luxueuze villa's veroorloof-den, was de gezondheidszorg één grote, armzalige chaos.

Het eerste alarmsignaal weerklinkt als in december 1998 twee Bulgaarse verpleegsters in Benghazi worden gearresteerd. De reden hiervoor is belachelijk. Ouders klagen dat hun kind met een medicijn is geïnjecteerd dat ze niet kennen. Allerlei misverstanden komen voort uit taalverwarring en de paniek die daarop ontstaat. Een verpleegkundige die geen Arabisch spreekt, heeft niet goed begrepen wat de vader van het kind haar vraagt.

'Wat heb je aan mijn kind gegeven?'

Haar onbegrip wordt uitgelegd alsof ze iets voor de vader wil verbergen. Deze dient een klacht in, de twee verpleegsters worden opgepakt en tijdens het verhoor op het politiebureau wordt het kind gevraagd aan te wijzen wie de injectie heeft gegeven, en dat blijkt een vrouw te zijn die Snezhana heet. Het kind wijst ook naar de andere vrouw. De Filippijnse hoofdverpleegkundige brengt uiteindelijk opheldering in de zaak. Een week na hun arrestatie worden de twee Bulgaarse vrouwen weer vrijgelaten.

Snezhana is in augustus 1998 in Libië komen werken, zes maanden vóór de grootschalige aanhoudingen maar lange tijd nadat de epidemie was ontdekt. Intussen heeft het onderzoek in het kinderziekenhuis echter meer dan tweehonderd aidsgevallen aan het licht gebracht. Twee andere verpleegsters (die veel later zullen worden gearresteerd), Nasya en Kalina, melden het incident rond Snezhana en haar collega aan de Bulgaarse ambassade in Tripoli. Ze krijgen een medewerker aan de telefoon.

'Er worden Bulgaarse mensen vastgehouden door de politie! Er moet wat worden gedaan.'

'We zullen voor ze duimen...' luidt het antwoord van de ambassademedewerker. Niemand van de ambassade vraagt Snezhana na haar vrijlating of ze meer over de zaak wil vertellen. Zelf neemt ze geen contact op met de ambassade, aangezien ze het gebeurde beschouwt als een losstaand incident. En toch is het helemaal geen gewone zaak, want bij de vrijlating van de twee verpleegkundigen verklaart de regionale officier van justitie: 'Dit is niet het probleem van een paar verpleegkundigen maar van het hele ziekenhuis. Ook is het geen recent probleem, het dateert al van drie jaar geleden.'

Met deze opmerking zal echter niets worden gedaan...

Snezhana is bang. Later zal ze vertellen dat ze graag had gewild dat iemand van de ambassade contact met haar had opgenomen. Als iemand haar had voorgesteld te vertrekken, had ze het gedaan. Ze had alleen financiële steun nodig gehad aangezien ze haar terugreis niet kon bekostigen.

Haar arrestatie is wel de 'generale repetitie' genoemd van de hel die haar samen met anderen te wachten stond.

De toenmalige Bulgaarse ambassadeur in Libië zou worden teruggeroepen omdat hij na onze arrestatie niet snel genoeg heeft ingegrepen. Maar zijn blunder is niet meer goed te maken.

In de laatste maanden van 1998 worden er ook Filippijnse vrouwen opgepakt, bij wijze van oefening, lijkt het wel. Ze worden enige dagen later weer vrijgelaten en verlaten Libië na tussenkomst van hun ambassade. Er gaan zelfs geruchten dat hun land onder tafel vijfhonderdduizend dollar per persoon heeft betaald om hen vrij te krijgen. Hun ambassade heeft hun paspoorten teruggegeven en de vliegtuigtickets voor de terugreis betaald. Het is nu wel duidelijk: welk land beschermt zijn medisch personeel in Benghazi niet? Het onze. Dat van de Bulgaarse verpleegsters.

In november van datzelfde jaar verschijnt nummer 78 van het tijdschrift *La* – 'nee' in het Arabisch – waarin woedende ouders verslag doen van de aidsbesmetting van hun kinderen. Ze beschuldigen alleen de directie van het ziekenhuis. De verantwoordelijke personen zoeken de verklaring voor deze besmetting op hun beurt in de slechte staat van niet alleen dit ziekenhuis, maar van de volledige Libische gezondheidszorg van dat moment.

De directeur van het kinderziekenhuis verklaart: 'Het ziekenhuis heeft tweeduizend injectienaalden nodig, maar ze kunnen niet worden aangeschaft omdat er gebrek is aan financiële middelen.'

Het hoofd van de preventieve geneeskunde: 'De directeur van het Djallah heeft verklaard dat hij niet in staat is zijn af delingen normaal te laten functioneren als hij alle injectie-spuiten blijft verstrekken die het personeel nodig acht. Eenvoudigweg omdat hij dan het ziekenhuis vaker dan één dag per week zou moeten sluiten en slechts een dag of drie, vier patiënten kan ontvangen.'

De secretaris van het Algemeen Volkscomité voor Gezond-heidszorg: 'Voor dit jaar is een budget vastgesteld van twintig miljoen Libische dinar, maar het geld is nog steeds niet vrijge-geven. De ziekenhuizen blijven dus voor onbepaalde tijd ver-stoken van geneesmiddelen en andere benodigdheden.'

In het vervolg van zijn verklaring bekent de secretaris dat hij de bevolking niet graag onder ogen zou komen als hem werd verzocht geneesmiddelen en andere benodigdheden te ver-schaffen aan alle zieken die deze producten nodig hebben, aan-gezien hij hiertoe vanwege financiële tekorten domweg niet in staat is. Ook verklaart hij dat men slechts een willekeurige in-stelling voor gezondheidszorg hoeft binnen te lopen om te be-seffen in wat voor belabberde staat de afdelingen verkeren, en dat hij huiverig is om er een bezoek af te leggen omdat hij weet wat hem zal worden gevraagd.

Daarom wijzen de ouders van de zieke kinderen allereerst naar de secretaris van het Algemeen Volkscomité voor Ge-zondheidszorg, als hun wordt gevraagd wie er verantwoorde-lijk is voor dit drama. En in de tweede plaats nar zijn vervan-ger, de algemeen secretaris van het Algemeen Volkscomité voor Gezondheidszorg. Als derde wordt het hoofd van het di-rectoraat Medische Voorzieningen genoemd. In de vierde plaats de regionaal secretaris en de autoriteiten voor gezond-heidszorg van de stad Benghazi. En in de vijfde plaats stellen ze de directeur van het ziekenhuis en de leidinggevenden er-van verantwoordelijk.

In 1997-1998 wordt er in Libië niet over aids gesproken omdat het land de ziekte niet als een probleem voor de volksgezondheid beschouwt. Daarom zijn in de instellingen voor gezondheidszorg zelfs de meest elementaire preventieprocedures en regels voor arbeidshygiëne ter bescherming tegen deze epidemie afwezig. De verklaringen van de specialisten van het Comité voor de Volksgezondheid en de rapporten van een aantal hoge functionarissen vormen hiervoor het bewijs.

Uit een rapport blijkt dat er tussen 27 december 1997 en 11 januari 1999 onvoldoende middelen aanwezig zijn voor sterilisatie of profylaxe. Ook is het weinige personeel dat er is niet bekwaam genoeg. In het kinderziekenhuis is geen apparatuur voor bloedtesten beschikbaar. Het enige apparaat, dat op de centrale bloedbank staat, is stuk. Ook is er gebrek aan reagentia voor de tests en is er nog niet besloten welke methode voor het opsporen van aids zal worden gebruikt. Zo vergroten ook bepaalde medische ingrepen en procedures de kans op verspreiding van het virus in dit ziekenhuismilieu, dat geacht wordt hygiënisch te zijn: injecties, chirurgische behandelingen, procedures voor gynaecologisch onderzoek en bevallingen, het trekken van kiezen en tanden, het doorprikken van oren en behandelingen van huidziekten, enzovoort.

Bij de ontdekking van de besmetting in het kinderziekenhuis van Benghazi worden de deskundigen en de Libische maatschappij volledig overrompeld door deze twintigste-eeuwse bedreiging van de gezondheid. De eerste reactie van sommige artsen is de verantwoordelijkheid voor het opduiken van de ziekte door te schuiven naar de moeders van de kinderen, door het gevaarlijke virus te bestempelen als een ordinaire geslachtsziekte. Dit onverantwoordelijke, pseudowetenschappelijke gedrag zorgt ervoor dat de maatschappelijke spanningen rondom de epidemie nog verder oplopen.

In oktober 1998 worden de nationale leiders op de hoogte gesteld van de situatie in Benghazi. Om precies te zijn is het de
secretaris van Volksgezondheid, dokter Saad, die aan de bel
trekt. Vervolgens ontvangt kolonel Kadhaffi persoonlijk de ouders van de besmette kinderen. Hij belooft dat de oorzaken
van de epidemie aan het licht zullen worden gebracht en de
schuldigen streng gestraft.

Dit persoonlijk engagement van de leider komt over als een
dreigement op de autoriteiten op het gebied van de gezondheidszorg, de Libische experts en de mensen die ermee belast
zijn helderheid in de zaak te verschaffen.Vanaf dat moment
doen ze alles wat in hun vermogen ligt om hun aansprakelijk-
heid af te schuiven op anderen. Zo zal de stelling ontstaan dat
de infectie niet te wijten is aan slechte hygiëne, het niet naleven van de werkvoorschriften, tekortkomingen van het kaderpersoneel of afwezigheid van voorzieningen en middelen, maar
dat deze het resultaat is van boze opzet. De complottheorie is
geboren. Het gaat erom de publieke opinie op het buitenland te
richten.

Zelf weet ik op dat moment niets van dit alles. Ik heb geen
verband gelegd tussen de verschillende alarmsignalen. Ik werk
op twee kilometer van het kinderziekenhuis waar de epidemie
is uitgebroken en ik ken geen verpleegsters die er werken.

Dus ik ga gewoon door met mijn eigen leventje dat doorde-
weeks bestaat uit werken en op vrije dagen uit een zorgeloos
bestaan. Ik ga naar het strand, bel met mijn man die te vaak
niet kan overkomen uit de woestijn. Ik kijk ongeduldig uit
naar zijn verlofdagen en breng mijn avonden met vrienden
door. Mijn leven verloopt probleemloos.

Op een gegeven moment komt er een eind aan de gezellig-
heidsbezoekjes van dokter Saad, die nooit langer dan een

kwartier duren – een adempauze, zoals hij zelf zei – en ik zie hem pas weer de avond dat hij opduikt in het schijnsel van de koplampen van een gewone auto met vier agenten in burger om hem heen.

De onderzoekscel belast met de affaire staat onder leiding van de Generaal, die me heeft ondervraagd en absoluut wil dat de Mossad achter dit zogenaamde complot zit. Een man zonder kritische geest die uitgaat van de voor iedereen zeer handige veronderstelling dat de besmetting met opzet heeft plaatsgevonden, en die het op zich neemt de schuldigen te vinden, want ook dat komt iedereen zeer goed uit. Hij zal hen opsluiten in een willekeurige ruimte, de geijkte methoden toepassen en zo 'bewijzen' verzamelen.

Voor de personeelsleden van het kinderziekenhuis is 9 februari 1999 een dag als alle andere, tot ze met spoed bijeen worden geroepen. Ze worden opgetrommeld onder het voorwendsel dat een ander ziekenhuis extra personeel nodig heeft. Ze maken zich geen zorgen als hun wordt gevraagd in een dienstbus te stappen. Zo worden ze ontvoerd. Nu gaat het erom de toekomstige schuldigen aan te wijzen.

De eerste verhoren gaan niet over aids, maar over de manier waarop ze het land zijn binnengekomen – van welk bemiddelingsbureau gebruik is gemaakt, of dokter Saad betrokken is geweest bij hun werving, hoe er in het ziekenhuis wordt gewerkt, enzovoort.

Wij, de Bulgaarse verpleegsters, worden vanaf het allereerste moment bestempeld als zondebok. De volgende groep wordt geselecteerd en opgesloten: Nasya, Snezhana, Valya, Valentina en ik. Mijn man Zdravko maakt geen deel uit van het oorspronkelijke plan. Hij zal domweg worden aangehouden omdat hij naar me op zoek is.

Het eerste verhoor van Nasya vindt op 11 februari plaats. De

Generaal toont haar onze paspoorten. Op dat moment hoort ze voor het eerst van mij.

'Jullie vormen een maffia, jullie zijn een groep en jullie leidster is Kristiana!' Hij legt de Bulgaarse paspoorten op een rijtje en herhaalt: 'Maffia!'

Onder degenen die geselecteerd zijn voor een speciale behandeling bevindt zich ook Kalina, een vriendin van Nasya. Ze wordt twee dagen na ons op spectaculaire wijze opgepakt. De Hond ontvoert haar in opdracht van de Generaal met een helikopter uit Benghazi. Ze hebben grootse plannen met haar. De twee vriendinnen werken in hetzelfde team en Kalina woont samen met een Maltees genaamd Lorenzo.

Om geen last te krijgen met de 'zedenwet' zijn ze een verbintenis aangegaan die in Libië een 'politiehuwelijk' wordt genoemd en tegen betaling van honderd dinar simpelweg door de lokale autoriteiten wordt bekrachtigd. Dankzij Lorenzo is Kalina op 4 maart vrijgekomen: hij heeft het Maltese consulaat in Benghazi gewaarschuwd, dat snel voor haar heeft ingegrepen. Ze is geen Maltees staatsburger, maar de druk die haar vriend op zijn consulaat uitoefende was voldoende om haar vrij te krijgen. Tegenwoordig woont Kalina met Lorenzo op Malta, en tot haar grote geluk heeft ze kunnen ontkomen aan de acht jaar durende nachtmerrie.

De grote groep arrestanten wordt beetje bij beetje teruggebracht tot zeven mensen. De anderen worden vrijgelaten – al krijgen sommigen hun paspoort niet terug en mogen ze het Libische grondgebied niet verlaten – en op 4 maart 1999 blijven alleen nog 'de vijf Bulgaarse verpleegsters' over, samen met Ashraf, een Palestijnse arts, en mijn man Zdravko.

Weggerukt, ontvoerd, verslagen, verkozen tot hoofdrolspelers in een rampscenario en aan ons lot overgelaten.

Na een paar dagen wordt de Bulgaarse fysicus Smilian, de zevende gevangene, op zijn beurt vrijgelaten. Hij had de aandacht van de overheid getrokken toen in december de eerste Bulgaarse verpleegsters waren gearresteerd. Hij sloeg alarm, maakte stampei. Zijn goedheid en zijn plichtsbesef zorgden ervoor dat hij bij de zaak betrokken raakte. Zes maanden lang is hij een stille getuige geweest van alle verschrikkingen en heeft hij ons gejammer moeten aanhoren zonder ook maar iets te kunnen doen.

Ik schreeuwde het meest: 'Waarom wij?' We hebben nooit exact geweten hoe en waarom wij zijn uitgekozen als zondebokken, en ook niet waarom ik vanaf het begin ben aangewezen als de verachtelijke organisatrice van een gecompliceerd en surrealistisch plan. Omdat mijn man en ik vriendschappelijke banden onderhielden met dokter Saad? Omdat via mij de onschuld kon worden aangetoond van een Libische arts die verbonden was aan het ministerie van Volksgezondheid? In ieder geval hadden ze met mijn persoon alle ingrediënten die nodig waren voor hun monsterlijke politiecocktail. En de Hond bestempelde me tot vrouwelijke maffiabaas die in staat was anderen om te kopen en een machiavellistisch plan op te zetten voor massabesmetting bedoeld om Libische kinderen uit de weg te ruimen.

Om zover te komen moesten ze me kapotmaken, mij in mijn eer aantasten en me lichamelijk en geestelijk afbreken. En de anderen ervan overtuigen dat ze aan mij ten prooi waren gevallen.

In die walgelijke cel van me, op die vieze matras, helemaal alleen in het donker kon ik zoeken naar de antwoorden tot ik een ons woog; ik zou ze nooit vinden. Ik had één groot vraagteken in mijn hoofd: waarom ik? Waarom ik? Wat doe ik hier?

Ik moest volhouden, wachten tot de nachtmerrie zou stoppen. Ervoor zorgen dat de angst me niet zou overweldigen en mijn weerstand zou breken. De stank en de viezigheid verdragen, wachten op de geluiden van de deur, staren naar de oneindig kleine lichtstraal op mijn dagelijkse portie voer en bijna iedere nacht de litanie van de Generaal en zijn Hond aanhoren: Mossad, Mossad, Mossad...

Een krankzinnig verhaal, verzonnen door krankzinnigen in een krankzinnige wereld.

3

HET BEGIN VAN DE HOOP

Ik ben geboren op 12 maart 1959 in Sofia, de hoofdstad van Bulgarije.

Ik ben afkomstig uit een arme wijk van de stad, Nadejda geheten, wat 'hoop' betekent. Een grijze hoop dan wel en bevolkt met arme mensen. De allerlaatste wijk, helemaal aan het uiteinde van de stad.

We woonden in een huis met drie kamers. Mijn vader, moeder en ik beschikten over zeer weinig ruimte. Ik ben opgegroeid in een smalle kamer, in feite in een gang die zo breed was als twee bedden naast elkaar. Het duurde jaren voor mijn moeder een hangkast kon kopen. Ze zette alles op alles om de kast aan te schaffen, en toen het eindelijk zover was maakte dit haar oprecht gelukkig. Mijn moeder had van die eenvoudige dromen die ze een voor een wist te verwezenlijken. Ze hield van naaien, spaarde voor een naaimachine en leerde zichzelf ermee te werken. Ze begon privéopdrachten aan te nemen – wat verboden was. Het lukte haar de concurrentie in de wijk te verslaan. Maar omdat de druk te groot werd, is ze er uiteindelijk mee gestopt. Een fiets was nog zo'n droom. Uiteindelijk heeft ze er een gekocht, maar uit pure jaloezie verbood mijn vader haar erop te fietsen. Op den duur peddelde ik dus rond op de droom van mijn moeder.

Mijn moeder verwezenlijkte haar eigen dromen, maar niet de mijne. Ik was het slechtst geklede kind van de hele buurt, terwijl zij professioneel kleermaakster was. Ik droeg mijn kleren tot ze zo versleten waren dat ze niet meer versteld konden worden. Ik kreeg nooit cadeaus, zelfs niet voor mijn verjaardag. Zorka, mijn moeder, leek het niet belangrijk om mij te plezieren. Met Kerstmis kon er zelfs geen versierde boom van af. Ons leven was grijs en verstikkend, terwijl ik juist kleur en lucht nodig had. Mijn moeder deed haar best mij te leren eerlijk en oprecht te zijn. En ook door te zetten, denk ik. Zelf gaf ze nooit op. Ze maakte nooit een zwakke of machteloze indruk. Voor haar bestond er geen hopeloze situatie: ze was gescheiden toen zij achtenveertig jaar was en haar tweede kind vier. Ik verschil twintig jaar met mijn zus. Mijn moeder weigerde zich levenslang door mijn vader te laten vernederen.

Mijn vader was bouwvakker en is dat zijn hele leven gebleven. Het was een plichtsgetrouwe man met een zwak karakter, die deed wat er van hem werd gevraagd. Maar hij dronk en sloeg zonder enige reden. De sfeer in onze kleine woning werd ondraaglijk voor mij. Later begreep ik wat hem kwelde. Zijn moeder was jong weduwe geworden en opnieuw getrouwd, waarna ze haar dochter bij zich had gehouden en mijn vader naar zijn grootouders gestuurd. Hij had zich in de steek gelaten gevoeld en heeft haar dit nooit vergeven. Maar toen ze oud werd en door haar dochter was verlaten, wendde ze zich tot papa, die tot haar dood voor haar heeft gezorgd.

Hij is overleden toen ik in de gevangenis zat. We hebben geen afscheid van elkaar genomen. Hij wilde dat ik de voornaam van zijn moeder zou dragen. Op haar huwelijksfoto's staat ze als een vrouw uit de films van Chaplin, met een satijnen jurk en een vossenbontje om haar hals. Mijn grootmoeder was een kind van het platteland. Ze was van gegoede

komaf, geboren in een dorp, en bezat een winkel, twee her-
bergen en een maaidorsmachine. Dat was veel voor die tijd.
Na 1944, toen ze alweer hertrouwd was, is ze door de natio-
nalisatie alles kwijtgeraakt. Maar het stel is gewoon door blijven werken en had genoeg om van te bestaan. Ze hielden
bijen en haar man werkte zwart in de bouw. Ik lijk op mijn
grootmoeder wat mijn vermogen betreft een prettige sfeer te
scheppen en mijn man te verwennen. Zij maakte dat grootva-
der zich uniek, belangrijk en zeer geliefd voelde. Ze vertroe-
telde hem.

Van de zomers in het dorp herinner ik me de smaak van echt
voedsel: verse kip en groente uit de moestuin. Wat was dat
lekker. Thuis voelde ik me nooit op mijn gemak. Behalve als
een van mijn ouders er niet was. Dan genoot ik van de ver-
kwikkende rust. Heel af en toe kende ik momenten van gebor-
genheid en werd alles normaal. Als mijn ouders elkaar omhelsden was ik gelukkig – het duurde echter maar even, tot de
volgende schreeuw, de volgende klap, de volgende belediging
of de volgende vernedering. Mijn moeder besloot te scheiden.
Ze heeft mijn vader niet de kans gegeven haar resterende levenslust af te nemen en is met haar twee dochters bij hem
weggegaan. Toen ik zelf trouwde en een zoon kreeg, beschouwde ik mijn kleine zusje Eliana als mijn eigen dochter.
Ik nam haar mee op vakantie met mijn zoon, kocht dingen
voor haar die ze leuk vond en probeerde haar op te voeden. Ik
wilde haar geven wat mijn moeder nooit zou hebben gegeven
omdat ze er niet aan dacht. En ik wilde dat ze niet op de
vlucht zou slaan, zoals ik had gedaan. Tijdens de slechte momenten van mijn jeugd ging ik ervandoor, de sneeuw in, rende
ik op blote voeten het huis uit en verstopte me verderop in de
straat. Zo vluchtte ik voor mijn ouders de kou in. Mijn hart
was ook koud.

Op zeventienjarige leeftijd ging ik het huis uit en bevrijdde me zo van de eeuwige spanning, het geschreeuw en de dronkenschap, kortom: van alles waarmee armoede vaak gepaard gaat. Ik ben getrouwd. Ik kan me niet herinneren verliefd op hem te zijn geweest. We leerden elkaar kennen toen ik in de vijfde klas zat van de middelbare school. We waren allebei lid van hetzelfde toneelclubje van school. Ik droeg voornamelijk gedichten voor, met hem in het publiek. Hij was twee jaar ouder. De eerste man in mijn leven als vrouw. Via hem wilde ik mijn ellende achter me laten, maar ik haalde me er nieuwe, nog grotere ellende mee op de hals dan die waarin ik ben opgegroeid.

Ik ben met hem in het dorp van zijn ouders gaan wonen, met zijn moeder, zijn vader en zijn geestelijk gehandicapte broer. Het is een arm dorp dicht bij de Griekse grens, in het zuiden, aan de voet van een gebergte waar de lucht heel zuiver is. Door het dorp stroomt een rivier en eromheen liggen kastanjebossen.

Hun bakstenen huis was klein, met een beneden- en een bovenverdieping, waarvan wij één kamer hadden betrokken. De woning was door de gemeente ter beschikking gesteld. Ze kregen wat bijstand. Zijn vader werkte niet en zijn zieke moeder was al met pensioen. Ze leefden van weinig – groente uit een klein moestuintje – en eenmaal per maand hadden ze recht op vlees. Ik herinner me ook dat er een geit was die door een herder uit het dorp samen met andere geiten werd geweid en 's avonds werd teruggebracht. De armoede was er groter dan in Sofia. Het huis was piepklein, met een lemen vloer en een schuurtje in de tuin dat als wc dienstdeed. We wasten ons buiten met koud water.

Daar ben ik in oktober getrouwd. Mijn trouwjurk was wit, een echte bruidsjurk van crêpe georgette, geleend van een

nicht uit het dorp. Ik droeg ook een lange sluier over mijn opgestoken haar, met een kroontje erop van witte namaakbloemen.

In dit primitieve dorpshuisje belandde ik in het bed van een
man die al een keer gescheiden was en van wie ik praktisch
niets wist. Deze arme sloeber was niet in staat op eigen benen
te staan en nog minder om mij op weg te helpen in het leven.
Hij was niet de grote, intelligente man met sterke schouders
op wie je kon steunen – hij zag er alleen maar zo uit. Het uiterlijk van een sterke man. In feite was hij oppervlakkig en on-
handig. En ik zou er ook achter komen dat hij ziekelijk jaloers
was.

Een paar maanden later begon ik in de crèche van het dorp
met kleintjes te werken. Ik wilde een kind en raakte dan ook
spoedig in verwachting.

Ik wist dat mijn pad dan wel langs dit dorp voerde, maar dat
het niet het eindpunt zou zijn. Na een jaar zijn we teruggekeerd naar Sofia. Ik was zwanger en aangezien mijn moeder
nog niet gescheiden was, kwam ik weer terecht in de verstikkende sfeer die ik had willen ontvluchten. Wij woonden in een
piepkleine ruimte pal naast de kamer van mijn ouders.

Ze zagen wel dat ik niet gelukkig was maar hielpen me niet.
Integendeel, ik werd er continu aan herinnerd dat ik een
enorme vergissing had gemaakt. Ik werd zowel praktisch als
geestelijk volledig aan mijn lot overgelaten. Uit het kleine ka-
mertje haalden ze de meubels weg, zodat ik niets meer over
had. Dit was om me te straffen voor het feit dat ik niet had geluisterd, dat ik het huis was ontvlucht en er niet beter van was
geworden. Van een vriendin kreeg ik een matras. Voortaan
sliep ik daarop, en toen ik na mijn bevalling terugkwam met
Slavei, mijn zoon, negeerden mijn ouders mij volledig. Onze
kamers bevonden zich naast elkaar maar we waren oneindig

ver van elkaar verwijderd. Alleen mijn vader kwam van tijd tot tijd in het geheim even naar zijn kleinzoon kijken en wat met mij praten – uitsluitend vanwege het kind.

Maar ik had wel mijn middelbareschooldiploma en kon iets nuttigs gaan doen, typiste worden of zo. Ik ben mijn 'carrière' begonnen bij een bedrijf waar ik lakens moest strijken in een stomerij, een staatsbedrijf. Ik stond acht uur per dag in de stoom. Later, toen mijn buik te dik werd en ik niet meer tegen de verstikkende atmosfeer kon, werd ik aangenomen als vervangster van de directiesecretaresse.

Mijn man was jaloers en tiranniek. Hij begreep niet dat ik wilde studeren, vond dat mijn plaats in huis was, bij mijn kind, op die ene matras die we hadden. Hij wilde niet dat ik ook maar iets deed, al was hijzelf niet in staat ervoor te zorgen dat we een normaal bestaan konden leiden. Na mijn bevalling ben ik weer gaan werken, dit keer bij een verzamelpost voor wasgoed. Urenlang bleef hij tegenover mijn werkplek staan om me te bespieden. Vervolgens begon hij stampei te maken en kregen we ruzie. Hij meende in de blik van een klant oneerbare voorstellen te zien. Hij ondervroeg me urenlang over mensen die ik me niet eens kon herinneren. Hij bedacht allerlei niet-bestaande flirts. Het was verschrikkelijk. Mijn huwelijk met hem had de kans van zijn leven kunnen zijn, maar hij heeft hem niet gegrepen.

Ik heb een echtscheiding aangevraagd toen ik twintig was. De scheidingsprocedure was al in gang gezet toen we besloten met onze zoon op vakantie te gaan naar een chalet van de staat. Op een avond vertrok hij om te gaan kaarten. Ik bleef bij mijn zoon tot hij sliep en ben daarna naar een groep jongeren gegaan in de kamer naast de onze. Ze maakten muziek, waren grappig, het was vakantie... Ik had er behoefte aan een beetje te lachen. Mijn man kwam later die avond stennis maken, sleepte me naar onze kamer en schreeuwde: 'Laat jij je kind alleen om lol te trappen? Waarom doe je dat?'

'Hij sliep en ik had het nodig.'

Ik had het recht niet dat nodig te hebben. Hij greep me bij mijn keel en begon die dicht te drukken, probeerde me te wurgen. Dat lukte hem bijna, ik kon nauwelijks meer ademhalen maar slaagde erin hem met geweld van me af te duwen en met Slavei in mijn armen weg te rennen. Ik ben met de taxi naar Sofia teruggegaan.

Ik heb hem geen alimentatie gevraagd en niet lastig gedaan als hij onze zoon wilde zien. Hij kwam niet vaak, maar daar kon ik niets aan doen.

Ik heb Slavei in mijn eentje opgevoed, wat niet makkelijk was. Hij werd ziek. Er werd ontdekt dat hij een glutenallergie had en ik moest voortdurend opletten wat hij te eten kreeg – ik legde hem in de watten en hield me continu met hem bezig.

Een jaar na onze scheiding kreeg zijn vader een verkeersongeluk. Een auto met een aantal inzittenden boorde zich in de vrachtwagen die hij bestuurde en daarbij kwamen mensen om. Hij was totaal onschuldig: de vrachtwagen reed niet te hard en hij had geremd om de tegenligger te ontwijken die op zijn weghelft terecht was gekomen. Toch werd hij veroordeeld en voor vierenhalf jaar gevangengezet. Ik was de enige die bij hem op bezoek ging. Al had hij me vernederd, hij was toch de vader van mijn kind.

Ik mocht toelatingsexamen doen voor de verpleegopleiding, waar ik nauwelijks voor hoefde te leren. Ik hoefde alleen maar tijdens de lessen goed op te letten en rolde probleemloos door de examens. De docenten mochten me, en echt niet alleen de mannen. Een van de docentes zei: 'Ooit zul je hoofdverpleegkundige zijn en met een arts trouwen.'

Een prima voorspelling! Al weet ik achteraf niet of ik er blij mee moet zijn.

Als alleenstaande moeder kreeg ik een beurs van honderdtwintig lev, maar daarvan kon ik niet rondkomen. Mijn moeder weigerde me te helpen. Ik moest praten als brugman om haar zover te krijgen dat ze op mijn kind wilde passen. Uit zichzelf zou ze dat nooit hebben gedaan. Ik was al gescheiden toen ik begon met het schoonmaken van entreehallen van flats om wat bij te verdienen. Ik wist dat ik na een jaar sparen een cassetterecorder zou kunnen kopen. Van mijn eerste salaris heb ik voor mezelf een platenspeler en een paar lp's gekocht.

Ik was gelukkig. Ook ik kon mijn dromen werkelijkheid laten worden. Destijds kon je in Bulgarije een onbezorgd leven leiden volgens een vooraf uitgestippelde weg: studeren en werken. In een totalitair regime ben je verzekerd van een middelmatig bestaan, rust en gezondheidszorg. Als je geen vijand van het regime bent, kun je er uitstekend leven.

In de jaren zeventig was het leven er normaal, zelfs goed te noemen, op voorwaarde dat je niet te veel nadacht en het regime niet wilde veranderen. Mijn zeer dierbare, allerbeste vriendin Eva verweet me vaak dat ik te jong was getrouwd. Volgens haar had ik moeten gaan studeren. Eva was mooi, charmant, intelligent, ontwikkeld en ik verwachtte veel van haar. Zo hoopte ik dat ze bijvoorbeeld in het onderwijs ging werken. Maar ze had geen speciale ambities. Alles ging haar zo gemakkelijk af dat het gewoon onmogelijk voor haar was om te mislukken op welk gebied dan ook.

Ik heb een vergissing gemaakt door te jong te trouwen. Eva slaagde er niet in te aanvaarden dat ze zo knap was. Er kon haar niets gebeuren in het leven omdat ze mooi was, maar ze werd kwaad omdat ze alleen maar gezien werd als een knap meisje. Ze wilde graag in een museum gaan werken en daar studeerde ze voor. Voor haar was het voldoende thuis te zijn, omringd door Seneca, Plato en Goethe; voor mij was dat niet genoeg. Wat ons bond was het feit dat we in opstand kwamen tegen deze ingedutte samenleving. Wij deden ons best in contact te komen met mensen die een open blik op de wereld hadden.

Ik was tweeëntwintig toen ik mijn studie aan het Instituut voor Verpleegkunde afrondde. Ik wilde nu gaan werken in een ziekenhuis van naam, dat van Sofia bijvoorbeeld. Helaas lukte het me niet daar een baan te krijgen, waarna ik gewoon ben thuisgebleven. Ik had een jonge zoon, was gescheiden en dus vrij. Maar ik was genoodzaakt voldoende geld te verdienen om het speciale dieet van mijn zoon te bekostigen. Het kwam erop neer dat hij sinds hij anderhalf jaar was praktisch niets meer kon eten. Zijn dieet was duur, heel duur: uitsluitend kalfsvlees, kip en vis. In 1980 waren er in Bulgarije vier verschillende producten beschikbaar: *lutenitza* (een kruidige tomatenpasta), een soort knoflookworst, halfdroge wijn en kaas. Niemand had gehoord van glutenvrije producten. Ik wist van een vriendin in Duitsland dat er glutenvrij meel bestond, maar dat kostte toen vijf mark per pak. In Bulgarije was het op dat moment verboden om geld te wisselen, maar op de zwarte markt kostte een mark wel tien lev terwijl het gemiddelde maandsalaris honderdtwintig lev bedroeg. Ik heb een keuze moeten maken om het bestaan van mijn zoon te verbeteren.

Ik maakte kennis met een man die twintig jaar ouder was dan ik en zeer ruime financiële mogelijkheden had. Dankzij hem heb ik drie jaar lang onbezorgd kunnen leven en voor mijn zoon de dieetvoeding kunnen kopen die hij nodig had. Met het geld dat ik ontving, honderddertig lev, kon ik dertien pakken meel kopen! De man met wie ik het bed maar niet het leven deelde, was een onontbeerlijk compromis. Het viel me niet zwaar maar het was gewoon geen liefde. We deelden het bed zonder verder moeilijk te doen. Intussen had ik het prima naar mijn zin, in de wetenschap dat ik mijn zoon kon voeden, de mooie kleding kon aanschaffen die ik altijd had willen hebben, net als leuke meubels voor mijn kamer en kaartjes voor concerten. Ik kon het me veroorloven met mijn zoon op vakantie te gaan en ben zelfs in het buitenland geweest.

Het was een eerlijke deal. Ik ontving financiële steun en de man in kwestie het gezelschap van een vrouw. Hij woonde alleen en werkte. We spraken nooit over zijn werk, ik wilde hem niet tot last zijn met zinloze gesprekken. Bijna iedere avond aten we met zijn tweeën in zijn appartement voor de televisie. Hij had een videorecorder en een stereoset in zijn vierkamerflat in het centrum van Sofia en reed in een Mercedes... Hij leidde een leven dat de mensen in Bulgarije pas twintig jaar later zouden leren kennen.

Na mijn scheiding had ik begrepen dat ik mannen naar mijn hand kon zetten. Ik had gebroken met het afschuwelijke voorbeeld van mijn moeder en grootmoeder op het gebied van relaties. Ik had de 'onderdrukkende echtgenoot' verlaten en ervoor gekozen zelf de regels voor mijn bestaan op te stellen. Ik vermeed het verliefd te worden, aangezien ik te veel door mijn zoon in beslag werd genomen en dus geen tijd had voor dat soort emoties. Ik had er simpelweg geen zin in. Ik kwam de belofte na die ik mezelf in mijn kindertijd had gedaan: dat ik nooit meer pijn wilde hebben. Niet meer heen en weer geslingerd tussen tegengestelde gevoelens, de ene dag worden vertroeteld en de volgende dag geslagen... Ik had al te veel wonden opgelopen als erfenis van mijn ouders. Een onbezorgde jeugd had ik niet gekend, want er was evenveel vernedering als liefde, en dat had me geestelijk uitgeput. Ik wilde niet ten onder gaan en zocht de gulden middenweg, waarbij ik zelf de touwtjes in handen hield en zelfvertrouwen kon opbouwen. Steen voor steen trok ik een muur op die me zou beschermen tegen iedere emotie – ik wilde onbereikbaar blijven om te overleven. Misschien waren er andere manieren om jezelf in bescherming te nemen, maar ik kende ze niet.

Ik wist pertinent zeker dat ik voor mezelf een ander levenspad wilde. Ik herinner me niet een heftige, overweldigende liefde te hebben gekend, zo'n verliefdheid waarbij je jezelf verliest en je volledig in de gevoelens en het wezen van de ander stort.

Mijn ziel is maagdelijk gebleven en mijn hart vergrendeld.

Had ik de sleutel in zee gegooid zodat niemand die kon vinden? Ik weet het niet. Ik weet dat ik me goed voelde als ik mezelf onder controle had.

In mijn relaties was mijn opstelling nogal mannelijk. Ik schiep de illusie die de ander nodig had, gaf hem het gevoel uniek te zijn, ging respectvol met hem om en streelde zijn ego. Daarna ging ik weer weg, eigenlijk zonder sporen na te laten.

Ik wist de ander om te laten kijken, trok hem aan en palmde hem in.

Wat mannen betreft is mijn lach altijd mijn kostbaarste troef geweest. Ik zorgde ervoor dat gesprekken niet te diep gingen, wilde luchthartig overkomen en schiep een even luchtige sfeer om me heen. Ik had al snel door dat mannen intelligente vrouwen wantrouwden en leerde hen niet teleur te stellen. Ik bood wat ze zochten. Zonder onnozel te doen legde ik de nadruk op mijn andere kwaliteiten: mijn zorgeloze karakter en mijn vermogen om alles licht op te vatten.

Ik las veel en kon ook uitblinken door mijn kennis, als de situatie zich voordeed. Dat was zelden het geval.

En onder geen beding verhief ik ooit mijn stem. Ik luisterde aandachtig naar de ander, zelfs als ik het niet interessant vond. Ik gaf geen adviezen als daar niet om werd gevraagd.

Ook begreep ik hoe belangrijk het was om er goed uit te zien, goed gekleed te gaan. Ik, de dochter van Zorka, die totaal geen gevoelens kende en zich absoluut niet interesseerde voor haar vrouwelijke kant, ging iedere maand naar de manicure en de pedicure en iedere week naar de kapper. Ik zorgde ervoor dat mannen er trots op waren om naast zo'n mooie vrouw te lopen.

Dat is allemaal mijn eigen verdienste. Mijn moeder heeft haar ouderlijke plichten uitsluitend vervuld door me in mijn puberteit uit te leggen dat ik elke maand ongesteld zou worden, wat inhield dat ik in het vervolg moest oppassen niet zwanger te raken. Ik heb veel dingen aan haar te danken, maar niet het gevoel vrouw te zijn. Mijn idee van een geslaagde vrouw was een vrouw die werkte, goed gekleed ging en een goede man aan haar zijde had die zelf ook succesvol was. Ik wilde alles wat ik bij mij thuis niet had gezien, en dat liefst in grote hoeveelheden. Alleen moest ik nog even de juiste man zien te vinden. Ik ben niet actief op zoek gegaan, ik wist dat hij ooit zou verschijnen. Ik zocht ze uit, wees er verscheidene af maar was ook niet bang een poging te wagen.

Mijn optreden was misschien gedurfder dan in die tijd acceptabel was.

In de grijze jaren van de socialistische moraal, die van goedkope uniforme kleding, waarin Aroma het enige merk make-up was, was ik kleurrijk. Ik toonde dat ik anders was en voor mijn kind kon zorgen. Ik wist dat de wereld niet ophield bij de Joegoslavische grens en wilde meer te weten komen over wat er aan de andere kant van het IJzeren Gordijn gebeurde. Ik wilde de wereld waarin ik leefde en de geneugten ervan leren kennen.

Aan mijn verhouding met die oudere man is in alle rust een einde gekomen. We zijn eind 1984 uit elkaar gegaan en ik ben onmiddellijk daarna gaan werken in de vierentwintigste polikliniek, mijn eerste baan in de gezondheidszorg. Ik wilde graag aan de slag. Aangezien het weer goed ging met de gezondheid van mijn zoon, hoefde ik niet meer zo op te passen met wat hij at. Ik kon dus weer op eigen benen staan en was niet lui. Ik wilde blijven bijleren en was bereid mijn mouwen op te stropen, zelfs als dat dertig patiënten per ochtend inhield. Verder had ik geen serieuze relaties.

In die tijd waren er twee uitgaansgelegenheden in de hoofdstad, een in het Japanse hotel en een in Hotel Sofia. De voorstellingen waren saai maar ik ging toch, omdat er verder niets was. Ik keek ernaar alsof ik op Broadway was. Daar heb ik voor het eerst het puikje van het nationale cabaret gezien, degenen je normaal alleen op televisie zag.

Deze twee bars waren de enige plekken waar je hen in het echt kon zien en horen, en whisky kon drinken. Een klein glas whisky kostte vijf lev. Brood kostte in die tijd dertig stotinki en het openbaar vervoer 5 stotinki per kaartje, een kilo kaas was 2,40 lev en een kilo varkensvlees 2,80 lev. De meeste mensen verdienden te weinig om zich te kunnen veroorloven naar deze etablissementen te gaan. Maar mijn vriendin Nelly had een vriendje voor wie alle deuren opengingen. Dankzij hen ging ik vaker uit dan de gemiddelde Bulgaar. Nelly had iemand gekozen die poker speelde en het bruisende nachtleven van Sofia kende. Op een dag is hij echter met een Française getrouwd en naar Parijs vertrokken. Nelly is op haar beurt met een Zwitser getrouwd en ook weggegaan. Ik bleef alleen achter. Voor veel Bulgaren was trouwen met een buitenlander de enige manier om de trieste realiteit te ontvluchten.

De mensen leefden in armoede, bij kaarslicht. Toentertijd

was de elektriciteit op de bon; iedereen had de beschikking over drie uur en later nog een uur. Door al die uren in het donker kreeg je grappen als: 'Vele druppels vormen een meer. Een meer plus een meer is een stuwmeer. Een stuwmeer plus een stuwmeer is een elektriciteitscentrale. Een elektriciteitscentrale plus een elektriciteitscentrale is een kerncentrale. En een kerncentrale plus een kerncentrale is... een kaars.' Degenen die hun hoofd enigszins boven het maaiveld uitstaken, werden snel weer teruggeduwd. Je moest nooit boven de massa uitsteken en zeker niet boven een lid van de Communistische Partij.

Criminaliteit bestond niet in die tijd, althans je hoorde er niets over; de angst voor de politie was alomtegenwoordig. De media waren in handen van de partij. Het nieuws dat werd verspreid ging altijd over de Communistische Partij; er werd ons verteld hoe het vierjarenplan werd uitgevoerd en dat we op weg waren naar een stralende toekomst.

Al het moois dat door ons land werd geproduceerd was voor de export bestemd. Wij droegen sombere kleding en stonden in de rij voor bananen of sinaasappels. Er waren bibliotheken, boeken en opera's als geestelijk voedsel, maar onze buik konden we er niet mee vullen. Ook ieders intellectuele ontwikkeling werd gecontroleerd; bepaalde films kregen we niet te zien omdat ze niet politiek correct bevonden werden.

In deze grijze wereld zocht ik altijd naar een frisse blik en wat kleur, en slaagde daar ook in. Deze zogenaamde kleur aan het leven mocht echter nauwelijks die naam hebben: twee bars, drie restaurants met noodgedwongen weinig afwisseling in de menu's en de 'Korikom', een glimpje uit het Westen: een droomwinkel waar alleen buitenlandse valuta werd geaccepteerd en die voor 99 procent van de Bulgaren ontoegankelijk was. Mensen die in het buitenland hadden gewerkt konden er kopen, maar alleen met deviezenbonnen die financieel niet erg interessant waren. Vreemde valuta bezitten was strafbaar. De Vietnamezen, die op dat moment erg veel in Bulgarije waren, hadden de zwarte markt in handen. In Bulgarije had je toen voor alles connecties nodig. Je gaf een dollar, die drie lev waard was, aan iemand die het recht had om in de Korikom te kopen en die kocht dan spijkerbroeken, chocoladerepen, chocolade-eieren, een strijkijzer of een stereoset – voor goede kwaliteit moest je daar zijn. Slechts weinig mensen hadden dat soort spullen in huis. Als er een videorecorder of een stereoset verscheen, was dat een teken van aanzienlijk succes op het materiële vlak. De gelukkigen waren dikwijls de chauffeurs van internationale transporteurs en, uiteraard, de naasten van de partijbonzen: zij hadden alles en vroegen zich niet eens af waarom de anderen jarenlang moesten wachten voordat ze een Lada konden kopen. Ook wisten zij niet dat je met je nummertje in de rij moest staan om een kleurentelevisie te bemachtigen. De mensen stonden dag en nacht te wachten voor het grootste – en enige – warenhuis van Sofia. Ze zetten hun naam op lijsten en sliepen op de trap om vooraan in de rij te staan en een kleurentelevisie van een van de twee Bulgaarse merken te kunnen kopen. Voor vlees moest je de verkoopster kennen en haar het vlees laten ruilen tegen een product waar zij weer niet aan kon komen. Zo moest ik bijvoorbeeld om het tijdschrift *Pif* voor mijn zoon te krijgen de krantenverkoopster ergens mee helpen. Net als bij primitieve stammen werd ruilhandel tot in het uiterste doorgevoerd.

Ik won een prijs in de lotto – het enige kansspel dat legaal was omdat het door de staat werd georganiseerd. Waarna ik voor mezelf een Rubis-televisie heb gekocht. Ik had samen met een vriendin het formulier ingevuld en we hebben het geld gedeeld. Zij heeft er hetzelfde mee gedaan als ik.

Behalve de zeer, zeer zeldzame en korte uitstapjes met vrienden naar de 'beau monde' was mijn leven grijs: de polikliniek, mijn huis, mijn zoon. Tot februari 1985, toen ik tijdens een nachtdienst Zdravko voor de eerste keer ontmoette.

Hij was zelfverzekerd, had grote blauwe ogen, lange wimpers en rode wangen. Met een beetje grime kon hij ongeacht welke clown in tv-programma's vervangen. Hij leek meer op de presentator van een komische show dan op een arts. In het begin lachte hij me uit omdat ik altijd zo serieus keek.

In het begin minachtte ik hem een beetje. Hij sprak dialect en was te uitbundig voor mij. Een boer. Hij kwam binnen zonder te kloppen. Op een dag vroeg ik hem waar zijn stethoscoop was en zijn ironische antwoord vond ik ontwapenend: 'Ik ben een natuurgenezer.'

De man had best een leuk gevoel voor humor maar ik vergat hem bijna meteen weer. Niet mijn type...

Maanden later bracht het leven ons opnieuw bij elkaar. Iedere zomer maakte de staat gebruik van studenten die gratis op het land gingen werken. Er werden brigades gevormd. En zo ontmoette ik in een brigade van Volksgezondheid opnieuw dokter Zdravko Giordiev.

Al op de eerste dag zei hij: 'Jij bent precies wat ik nodig heb.'

Het ergerde me. Ik besloot dat ik die twee weken het best kon volhouden door hem te negeren. Hij verdeelde de kamers bestemd voor de brigadeleiding en besloot zonder naar mijn mening te vragen dat zijn slaapkamer een woonkamer zou zijn en dat we in de mijne zouden slapen. Ik sprak hem niet tegen, want er waren toch twee bedden. Diezelfde avond werd ik wakker omdat hij bij mij in bed schoof terwijl ik daar al lag.

'Wat ben jij van plan?'

'Ik was vergeten je te zeggen dat ik in mijn eentje niet kan slapen.'

'Goed dan, maar waarom ben je bloot?'

'Ik heb een pyjamafobie.'

Hij was ontegenzeglijk ontwapenend. Je kon niet boos op hem worden. Alles aan hem leek zo natuurlijk dat als je kwaad werd je je er zelf ongemakkelijk onder voelde.

Die avond sliepen we als broer en zus en vervolgens is er iets gegroeid.

Zdravko begon me te vertellen over zijn ouders en zijn vrienden, en betrok me bij al zijn plannen. Ik sprak hem niet tegen, maar we zaten niet op dezelfde golflengte. Ik moest lachen om zijn grappen, maar dacht dat hij na deze periode in de brigade uit mijn leven zou verdwijnen, dat het om een van mijn vele avontuurtjes ging...

Zo is het echter niet gegaan. Toen we daar weggingen gaf hij me de sleutel van zijn appartement en zei: 'Zaterdag wacht ik op je.'

Ik ben er die zondag naartoe gegaan. Zdravko was een dag lang thuisgebleven in de hoop dat ik alsnog zou komen. Vanaf die dag hebben we samengewoond. Dat is nu al 22 jaar geleden. Ik voelde me veilig bij hem, kon hem volledig vertrouwen. Ik vertelde hem over mijn goede en slechte kanten, ik wilde dat hij me leerde kennen en me accepteerde zoals ik was. Het aantrekkelijkst aan hem was wel dat hij nooit misbruik van mijn zwakke kanten probeerde te maken. Hij voelde zich heel verantwoordelijk, zorgde even goed voor mijn zoon als voor mij. Hij houdt van kinderen. Hij is in mijn leven gebleven omdat hij goed omging met mijn verleden: hij kocht dezelfde cadeaus voor zijn eigen zoon als voor die van mij. De twee konden goed met elkaar opschieten. Zdravko is in staat om ieder kind voor zich te winnen. Ongeacht hun ziekte zoende en omhelsde hij ieder kind met wie hij te maken had. Vaak plaagde ik hem door te zeggen: 'Je mond zit vol kinderziekten!'

Iemand die met hem had samengewerkt in Mozambique vertelde: 'Daar zagen we kinderen onder het snot, zo smerig dat je hun gezicht niet meer kon zien. Hij waste ze, stopte ze onder schone lakens en nam ze in zijn armen. Dat deed hij ook met de allerkleinsten, zelfs met degenen die er afschuwelijk uitzagen. Hij gaf hun liefde.'

Het fijnste aan hem is altijd zijn humor gebleven; daarom was iedereen gek op hem. Zdravko was in staat om van de meest ernstige situatie moeiteloos één grote grap te maken. Van hem heb ik geleerd wat het is om zo te lachen dat je er tranen in je ogen en pijn in je buik van krijgt. Hij heeft me onbezorgdheid bijgebracht. Echte onbezorgdheid.

Hij heeft me zijn naasten, zijn ouders, zijn vrienden leren kennen, hij heeft me getemd. Ik las hem gedichten voor of *De kleine prins*, en hij maakte de fragmenten af die hij uit zijn hoofd kende. Er kwam weer kleur in mijn leven. En ik begon te geloven dat dit de man was bij wie ik mijn hele leven zou blijven.

We maakten een tocht door de Karpaten, in Roemenië. Destijds was Roemenië nog armer dan Bulgarije. Aan de oever van de Zwarte Zee hadden we het gevoel toeristen uit het Westen te zijn. Voor de prijs van een pakje sigaretten en een paar gymschoenen kon je daar in het meest luxueuze restaurant eten. In de Karpaten waren Nederlanders en Duitsers met luxe caravans en auto's die we nog nooit eerder hadden gezien.

Zdravko werkte veel en deed extra nachtdiensten om wat bij te verdienen. Ook probeerde hij met allerlei uiteenlopende handeltjes het hoofd boven water te houden in het grauwe bestaan van alledag. Hij ging daarvoor zelfs naar Joegoslavië, waar Bulgaarse instrumenten maar ook kleding redelijk goed te verkopen waren. Na twee dagen 'kofferverkoop' – zoals dat toen heette – kwam hij terug met honderdvijftig mark, wat veel geld was.

Zo hebben we kunnen leven tot aan de politieke omwenteling. Daarna kwam de democratie, het einde van het socialisme. We waren niet langer op weg naar een stralende toekomst. Op 10 november 1989 werkte ik in het eerste stadsziekenhuis, op de afdeling Interne Geneeskunde. Een volkomen normale dag, op het nieuws na. Het leek ongelofelijk: de totalitaire leider Todor Zjivkov had niet langer de macht in het land. Zjivkov leek wel gedrogeerd, met zijn half openhangende mond, alsof hij het zelf niet geloofde. Zijn naaste medewerkers hadden een staatsgreep gepleegd nadat hij vijfendertig jaar aan de top had gestaan. Het was een koude maar ook zeer hoopvolle tijd. We bezochten politieke bijeenkomsten.

In juni 1990, vóór de eerste democratische verkiezingen, waren er een miljoen mensen bijeen in Sofia. Er werden slogans gescandeerd voor veranderingen, voor een nieuwe start. We wisten niet wat ons te wachten stond, maar we waren er zeker van dat het beter zou worden. Het werd niet beter.

Een vriend van Zdravko is in sigaretten gaan handelen. Zdravko hielp hem en ontving een deel van de opbrengst. Hij hoorde bij de mensen die met zo weinig geen genoegen namen. Meel, suiker en olie waren op de bon. Voor yoghurt en melk moest je uren in de rij staan. De winter was koud en naargeestig. We hadden geld maar konden niets kopen. Zelfs het brood werd gerantsoeneerd. Alleen voor zout en azijn hoefde je niet in de rij te staan. Wanneer je op visite ging nam je geen bloemen mee maar levensmiddelen.

Zdravko werkte op de eerstehulppost van onze wijk en hij hielp kinderen van alle bewoners. Dankzij hem hadden we het voorrecht soms wat worst op tafel te hebben. Dat was heel bijzonder. In ieder geval hadden we geld en zijn we zelfs met de kinderen veertien dagen naar Griekenland geweest. We kwamen in luilekkerland terecht. Op vierhonderd kilometer van Sofia zagen we gigantische winkels vol met alles waar het ons aan ontbrak. Dat had ik nooit durven dromen. Na deze reis besloten we dat we niet langer in Bulgarije konden blijven. Zdravko diende een dossier in voor Angola en ik voor Libië, de enige twee mogelijkheden in die tijd. Ik wilde een nieuw leven beginnen.

Ik heb al mijn documenten van de burgerlijke stand en mijn diploma's in het Engels laten vertalen, wat bij ons heel duur was. Ik heb tien dagen moeten wachten op een uitnodiging voor een sollicitatiegesprek. Aan het begin van de jaren negentig werden er rechtstreeks contracten afgesloten. De bemiddelingsbureaus kwamen pas later.

Ten slotte werd ik uitgenodigd door de Libische ambassade in Sofia om te verschijnen voor een Bulgaarse diplomaat en drie vertegenwoordigers van Libische ziekenhuizen die speciaal hiervoor waren overgekomen.

Ik was tweeëndertig en droeg een zwarte rok tot op mijn knieën met een gele blouse erop van natuurzijde. Ik was chic. Ik had hoop.

Het gesprek vond plaats in oktober 1990 en ik kreeg pas in maart 1991 een reactie.

Terwijl ik op de uitslag wachtte, had mijn man voor ons samen een aanvraag ingediend voor Angola. Ik had een alternatief.

Toen ik voor Libië werd aangenomen, heb ik gevraagd om in een stad te worden geplaatst met een Bulgaarse school, voor mijn zoon. Zdravko regelde de papieren voor ons huwelijk in een paar uur. We zijn twee weken voor mijn vertrek getrouwd. Hij had het volste vertrouwen in mij. Hij wist dat ik opgewassen was tegen de situatie. Toen ik vertrok maakte ik me geen zorgen over mijn zoon, ik wist dat Zdravko even goed voor hem zou zorgen als ik. Het is een buitengewoon verantwoordelijke en zeer georganiseerde man.

Ik ben naar Benghazi gevlogen.

Ik vertrok om mezelf te helpen. Mijn besluit stond vast op de dag dat ik mijn zoon een pak voor zijn billen had gegeven omdat hij een van de twee tomaten die we hadden had opgegeten. Ik wilde die tomaat gebruiken voor in de rijst en hij had hem opgegeten!

Een pak slaag voor een tomaat... Zo kon het niet langer.

4

EEN ROOS VAN EEN BEUL

Waar zijn de anderen? Ik vermoed dat ze in de cellen naast mij zitten. Net zo geïsoleerd als ik. Maar hoeveel en wie? Ik ken ze niet, want we werkten niet in hetzelfde ziekenhuis. En ze willen ons niet met elkaar in contact brengen. Ik weet uiteraard niet dat ze sommigen hebben vrijgelaten en dat er nog maar vijf verdachten vastzitten.

Ik heb hen pas veel later leren kennen.

Allereerst Nasya, een vriendelijke, nogal gesloten, mooie, blonde, behoudende, jonge vrouw, die getrouwd is met een arts, een kind heeft en naar Libië is gekomen nadat ze vier jaar heeft moeten wachten voor er een plek vrijkwam. Ze komt uit een Bulgaars provinciestadje en is opgevoed door een militair. Ze werd gearresteerd nog vóór de aankomst van haar man, die ook in Benghazi zou komen werken. Later hebben we gehoord dat ze niet is aangegeven vanwege de aidsbesmetting, maar door jaloerse roddels. Ze had een paar maal contact gehad met een van de diabetesspecialisten, Mansour, die in Bulgarije had gestudeerd. De Libische hoofdverpleegster van het ziekenhuis was verliefd op deze Mansour, die echter geen aandacht voor haar had. In de periode dat de Hond ieders gangen natrok in het ziekenhuis viel hem op dat Nasya aan de telefoon altijd haar hand om het apparaat legde om het geluid beter af te schermen. Heel normaal als er veel omgevingsgeluid is, maar hem leek het verdacht. Belachelijk natuurlijk, maar hij vertelde dit toen hij haar tijdens zijn verhoren martelde met elektrische schokken.

'Je verbergt iets voor me, lieg niet!'

Alle pogingen om hem uit te leggen dat ze haar gesprek helemaal niet geheim wilde houden, maar alleen probeerde te verstaan wat er werd gezegd omdat er zoveel lawaai was, waren tevergeefs.

Niets van wat we zeiden maakte ook maar enige indruk op hen, en zeker de waarheid niet.

Dan was er Valya. Een grote vrouw met donker haar en groene ogen, die onstuimig en onbeschaamd was en nooit onopgemerkt bleef. Het was al de tweede keer dat ze in Libië werkte en ze had veel ervaring als verpleegkundige. Haar man was legerarts en ze woonden samen in Libië. Toen de Hond al bezig was met zijn geheime onderzoek naar de aidsepidemie, raakte hij bevriend met Valya, en hij heeft haar zelfs een dienst bewezen door een probleem met haar appartement op te lossen. Waarna hij haar heeft opgepakt. Zoals het een goede vriend betaamt.

Valentina, die 'het Kleintje' werd genoemd, was net als haar moeder verpleegkundige en tegelijkertijd met Nasya en Valya gearriveerd. Ik heb horen zeggen dat alle buitenlandse verpleegkundigen over haar klaagden, niet omdat ze incompetent was maar omdat ze niet in een team kon werken. Ze minachtte de Libiërs openlijk, wat niet onopgemerkt bleef en haar niet in dank werd afgenomen. Zonder de steun van andere buitenlanders was zij een gemakkelijk doelwit: alleen, zonder vriend om een sigaretje mee te roken, slachtoffer van haar behoefte anders te zijn, op een afstand te blijven, teruggetrokken te leven. Ik weet niet op welk moment ze hebben besloten

haar op de lijst te houden, maar de eerste nacht op het politiebureau hoorden we haar al van achter de tralies schreeuwen:
'Ik haat dit oord! Ik wil de ambassadeur spreken!'

Snezhana bleek degene te zijn die ik de nacht van onze ontvoering als eerste heb gesproken. Ze zag er oud uit, met grote
wallen onder haar ogen en lang, grijzend haar. De vrouw, afkomstig uit Sofia, maakte de indruk al veel te hebben geleden.
Ik herinner me dat ze in de bus zat te beven. Om te proberen
haar te kalmeren benaderde ik haar op een manier die ik vaker
toepas.

'Wat voor sterrenbeeld heb jij?'

'Leeuw.'

'Een leeuw is nooit bang.'

In het huis van bewaring huilde ze bijna constant. Ze wilde
steeds dat haar cel werd geopend. Op een nacht, toen we allemaal in een aparte cel waren gezet, zag ik haar in een rolstoel
in de gang zitten. Bewaakster Salma en een van de andere politiemensen waren met haar aan het spelen: ze duwden de rolstoel van de een naar de ander. Ondertussen zong zij een kinderliedje. Ze zong en huilde tegelijkertijd. Ze duwden haar
hard en Salma smeerde haar gezicht vol met roet. Het leek wel
of Snezhana in trance was. De bewakers hadden plezier in hun
spel. Ze doodden de tijd met het breken van haar trots. De
leeuwin liet hen de spot met haar drijven zonder één klacht te
laten horen.

Ik keek zwijgend toe en begon te huilen van vernedering. Op
dat moment had ik nog tranen. De echte verschrikkingen moesten nog komen. Ik heb een of twee keer in mijn cel gehuild, en
daarna had ik geen tranen meer. Het jaar daarop heb ik leren begrijpen wat het is om 'alleen op de wereld' te zijn en werd ik
overvallen door een mij onbekend gevoel van onmacht.

Er kan niet worden ontkend dat de primaire psychologie van

de Libiërs hen in staat heeft gesteld een voor hen ideale groep samen te stellen. Ze hadden vrouwen gekozen die elkaar niet alleen niet kenden, maar die ook op geen enkel vlak verwant waren, met uiteenlopende maatschappelijke ervaring, uitgesproken karakters, voorkeuren die slecht bij elkaar pasten – tot aan de voeding toe.

Pas veel later zouden we begrijpen dat het onze grootste uitdaging was ons tegen elkaar te beschermen en elkaar niet kapot te maken.

Bij mij zijn ze voorzichtig begonnen, want ze hadden grootse plannen met mij. Ik realiseerde me dat het feit dat ik dokter Saad kende de voornaamste reden was van die belangstelling voor mij, evenals mijn vriendschap met Europeanen.

Iedere nacht haalden ze me uit mijn cel om me te verhoren.

'Wat heb je voor elektrische apparaten?'

'Een wasmachine, een koelkast, een televisie, een radio, een strijkijzer...'

'Lijd je aan chronische ziekten?'

'Nee.'

'Gebruik je medicijnen?'

'Nee.'

'Ken je stagiaires van jouw afdeling?'

'Ja.'

Ik noem de namen van de studenten die ik me herinner. Onder andere die van Ashraf. Ze reageren onmiddellijk en duwen hem de ruimte binnen zodat hij tegenover me staat; hij heeft een ruige baard.

'Ken je hem?'

'Van gezicht, ja.'

Ze duwen hem direct na deze idiote vraag weer naar buiten en richten zich opnieuw halsstarrig tot mij: 'Jij bent zijn maîtresse geweest, zegt hij.'

'Ik heb hem na zijn stage niet meer gezien.'

'Wij hebben daar bewijzen van.'

'Nee, die heeft u niet!'

Het is belachelijk. Ashraf was bijna afgestudeerd. Hij had het jaar daarvoor in augustus vijfenveertig dagen stage gelopen in het kinderziekenhuis. Daar herinnerde men zich hem zoals ik hem toentertijd had gezien: het voorkomen van een jonge Europeaan, goed gekleed, vriendelijk tegen iedereen; hij trok de aandacht, praatte veel en irriteerde soms zijn collega's. Te goed opgevoed, te glad om door de Libiërs te worden geaccepteerd als een van hen. Hij maakte de indruk een enigszins zwak karakter te hebben, maar hij was buitengewoon aantrekkelijk in de ogen van de jonge Arabische vrouwen.

Hij woonde in een studentenverblijf, vlak bij de appartementen voor het ziekenhuispersoneel. Ashraf is Palestijn, ook al woont en werkt zijn familie al meer dan vijfentwintig jaar in Libië. Hij was twee jaar toen ze emigreerden. Zijn vader is wiskundeleraar, maar op zijn salarisstrookje werd hij lange tijd als buitenlands werknemer bestempeld. De familie, die loyaal was ten opzichte van het regime en geen problemen veroorzaakte, was financieel in staat haar kinderen een goede opleiding te laten volgen. Ashraf, hun enige zoon tussen vier zussen, is als hij in februari 1999 wordt aangehouden twee maanden verwijderd van zijn artsendiploma. Hij voelt zich goed in Libië en komt op materieel vlak niets te kort maar beleefde op het privévlak een tragedie: zijn verloofde, die aan een nierkwaal leed, stierf in 1997.

Tijdens het martelen hebben ze hem gedwongen te zeggen dat ik betrokken was bij de dialyse van zijn verloofde en dat ik hem vervolgens had voorgesteld mee te werken aan een uitgebreid plan voor aidsbesmetting. Een achterbakse en onlogische vooronderstelling. Ik heb Ashraf pas een aantal maanden na het overlijden van het meisje leren kennen, en hij was nog helemaal kapot van de dood van deze jonge vrouw. Verder had ik nooit aan haar behandeling meegewerkt, simpelweg omdat ik op dat moment in een ander ziekenhuis werkte. Maar al deze concrete feiten waren voor hen van geen enkel belang.

Na Ashraf hebben ze een Libische arts van het 7 Oktober Ziekenhuis naar mijn cel gebracht, een voor mij onbekende man met een baard van een aantal dagen en een blauw oog: hij had duidelijk een flink pak slaag gehad.

Machinaal begon hij op te lepelen dat ik vaak uitstapjes had gemaakt met Ashraf en dat wij minnaars waren.

Vervolgens hebben ze nog iemand binnengebracht, een van de technici van de hemodialyse, alweer een Libiër. Hij rilde van angst.

'Zijn ze minnaars geweest?'

Hij knikte bevestigend.

Mij werd toen verteld dat Ashraf alles al had bekend: ik zou hem een flesje met bloed hebben gegeven, en geld om het misdrijf te begaan. En dat zou hij me zelf ook zeggen tijdens de 'confrontatie' die op zijn bekentenissen zou volgen.

Ashraf keek naar de grond toen hij zei: 'Zij was mijn maîtresse, ze heeft me geld aangeboden. Zij is mijn opdrachtgeefster, zij heeft me hierin betrokken.'

Ik dacht dat hij voor de politie werkte en haatte hem.

Toen we samen door de gang terugliepen naar onze cellen, slingerde ik hem woest naar zijn hoofd: 'Je liegt! Waarom doe je dat? Nou? Waarom?'

Ik kon maar niet begrijpen wat een mens ertoe kan drijven om zulke afschuwelijke en onterechte dingen te beweren, totdat ze met elektrische schokken begonnen. Toen begreep ik waarom Ashraf zo had gelogen. Hij was tien dagen voor ons opgepakt en was vanaf het allereerste moment gemarteld. Van elektrische schokken word je gek. Uiteindelijk ben je gewoon jezelf niet meer.

19 februari 1999. Politiebureau Nasserstraat, Tripoli

Voor het eerst word ik overdag uit mijn cel gehaald om naar het bureau van de Generaal te worden gebracht. Ze laten me een video zien. De opnamedatum is 17 februari. De deur van mijn appartement is verzegeld, er is rode lak te zien. Er verschijnen mannen in beeld die de zegels verbreken en de metalen deur openen. De tweede, een houten deur, staat op een kier en is geforceerd, terwijl ik hem op slot had gedraaid. De Chemicus doorzoekt het huis alsof het de eerste keer is: hij opent de koelkast, kijkt verbaasd naar een stuk Bulgaarse worst en attendeert de cameraman erop alsof het iets bijzonders is. Nu loopt hij naar het kastje en ontdekt als bij toeval de vijf plasmaflesjes. Na een paar minuten videovertoning beginnen ze weer vragen te stellen: 'Wat zijn dat voor flesjes?'

'Die heeft mijn man daar drie maanden geleden neergezet. Hij zei me dat hij ze zou meenemen naar zijn werk in de woestijn.'

'Je liegt!'

En zo gaat het maar door. De flesjes... Je liegt...

Plotseling vertelt de Chemicus dat de flesjes zijn opgestuurd voor onderzoek en dat er al resultaten zijn. Zij wachten op de bevestiging door het hoofd van het microbiologisch laboratorium van Tripoli.

Die avond worden mij twee losse vellen getoond waarop in een hoekje met betrekking tot de drie flesjes staat: positief.

Ik ben verbijsterd, kapot. Geen weg terug meer mogelijk. Zijzelf zouden het ook niet meer kunnen als ze het al wilden. Er is iets afschuwelijks op komst, het wordt mijn ondergang: ze stellen valse documenten op!

Ik schreeuw, ik beef van angst en woede. Ik besef dat ze een monsterlijk plan tegen me aan het opzetten zijn en dat ik niets kan doen. 'Dat is onmogelijk, ik heb nooit iets in die flesjes gedaan of in welk flesje dan ook. Ik weet niet wat erin heeft gezeten, ze waren leeg!'

Jaren later heb ik begrepen dat de analyse van deze reeds geopende flesjes in feite was uitgevoerd op basis van een test waarvan de herkomst onbekend was. In ieder geval was het niet eens zeker dat ze werkelijk een test hebben kunnen doen; ze waren immers leeg... Het meest tegenstrijdige was nog wel dat de datum van deze testrapporten vóór die van de officiële inbeslagname van de flesjes lag. Het belangrijkste bewijsmiddel zou dus zijn getest zelfs nog vóór het ontdekt was!

Het was eenvoudig voor hen om tussen mijn ontvoering op 9 februari en deze belachelijke reconstructie van de huiszoeking op 17 februari te doen wat ze wilden met deze voor hen zo gelukkige vondst. En ik heb hun de waarheid gezegd. Zdravko moest dit materiaal meenemen naar zijn werk in de woestijn. Waar is hij?

De ellende was ook voor hem al snel begonnen. Ze hebben hem gearresteerd toen hij overal naar me op zoek was. Hij had vernomen dat ik niet op mijn werk was verschenen, en kon me nergens te pakken krijgen. Een Zweedse ingenieur, die ook in de woestijn werkte en tegelijkertijd consul voor zijn land in Benghazi was, had horen zeggen dat er Bulgaarse verpleegsters waren opgepakt.

Radeloos is Zdravko in de auto gestapt, heeft achthonderd kilometer gereden en kwam op 13 februari aan in Benghazi, waar hij alle politiebureaus van de stad is langsgegaan op zoek naar mij. In plaats van te kiezen voor de bescherming van het Zweedse consulaat is hij nietsvermoedend thuis gaan slapen, en daar is hij gearresteerd. Het enige positieve aan de zaak was dat de ingenieur een fax heeft gestuurd naar de Bulgaarse ambassade om deze opmerkzaam te maken op de arrestatie van een aantal landgenoten. Uiteraard heb ik dit alles pas veel later vernomen.

Tijdens een van mijn oneindige verhoren in die februarimaand toonde de Hond me zwijgend de reistas van mijn man. Hij hoefde niets te zeggen, want ik begreep zo ook wel dat hij was gearresteerd. Ze hebben hem op een avond tijdens een verhoor bij me gebracht. Hij had een borstelige baard, was smerig en zag er oud uit. Hij staarde voor zich uit en zag me niet, hij zag helemaal niets. Ze begonnen in zijn aanwezigheid opnieuw met het verhaal van de flesjes en de besmetting. Ik zei in het Bulgaars wat ik al eerder had verklaard, zodat mijn man het zou verstaan: 'Ik heb daar helemaal niets mee te maken en mijn man ook niet.'

Ik wist niet waar of wanneer ze hem hadden opgepakt en ook niet wat ze met hem hadden gedaan. Zdravko heeft geen woord gezegd. En hij verdween weer zoals hij was gekomen. Een spook. Ik heb hem pas veel later teruggezien.

Tripoli, 25 februari. Centraal onderzoekscomité.

Voor de eerste keer ontmoet ik Bulgaarse diplomaten. De minister van Buitenlandse Zaken heeft een speciale afgezant gestuurd om de situatie samen met onze consul op te helderen. Een aantal maanden later zal de betreffende gezant worden benoemd tot ambassadeur in Libië als vervanger van zijn voorganger.

Ik verwachtte, net als de anderen, dat hij deze treurige affaire wel zou weten te beëindigen. Maar ik kreeg de indruk dat hij verlegen was met de aanwezigheid van de Libische tolk van onze ondervrager, de Generaal.

Allereerst vroeg hij me naar mijn naam. De tolk van de Generaal beloofde dat alles juridisch goed zou worden afgehandeld en zou worden overgedragen aan de Bulgaarse autoriteiten.

De diplomaat onderzocht me heel even en verklaarde: 'Ik zie dat alles goed met je is.'

Tot op dat moment was ik niet gemarteld. Maar de omstandigheden waaronder ik werd vastgehouden, mijn onverzorgde uiterlijk en vermoeidheid hadden deze mensen aan het denken moeten zetten.

'Helpt u ons alstublieft, het is verschrikkelijk...'

'We doen wat we kunnen. U moet de groeten hebben van uw echtgenoot, hij maakt het goed en is aan het werk in de woestijn.'

Ik wist al dat Zdravko hier ergens in een cel zat. En ik verloor nog wat meer hoop. De Bulgaarse staat wist niets of wilde niets weten... In beide gevallen stond ik alleen.

Nasya en Valya waren niet bezocht: zij waren onlangs geslagen en nu dus niet toonbaar.

Onmiddellijk na de ontmoeting met de speciale gezant kwam de Hond naar de binnenplaats van het politiebureau met een paar afgerichte honden.

Salma, de bewaakster, maakte de deur van mijn cel open: 'Eruit!'

Ik wilde mijn schoenen pakken voor de celdeur, maar ze stonden er niet. Salma gaf me een paar sloffen.

Later bleek dat ze mijn schoenen nodig hadden om de honden mijn geur te leren kennen. En ook begreep ik later dat de Hond kleding en shampoo uit mijn appartement had opgehaald. We moesten buiten op de binnenplaats van het bureau op het asfalt gaan zitten. Ik wist niet wat ze voor ons in petto hadden tot ik een vreselijke hond blaffend op me af zag stuiven.

Hij begon aan me te trekken, beet in mijn hand en in mijn trui totdat ze allebei stuk waren. Ik schreeuwde, ik wist niet eens meer wat. Nasya heeft het me later verteld.

'Hij wil me vermoorden! Wat hebben jullie hem laten ruiken?'

De Hond haalde uit een envelop een stuk stof tevoorschijn en zei: 'Dit!'

Op dat moment begreep ik niet wat het was, ik gilde alleen maar. Voor hen was dat van geen enkel belang. Ze namen me weer mee naar binnen en het verhoor ging dit keer over mijn vermeende relatie met Ashraf. Ze beweerden bewijs te hebben. Ze toonden me een hemdje.

'Die is niet van mij.'

'Jawel, die is van jou. En je hebt hem bij Ashraf thuis laten liggen.'

Tientallen keren heb ik gezegd: 'Dat kledingstuk is niet van mij. Niet van mij. Niet van mij.'

De tolk onderbrak me: 'In Libië hebben we zulke kleding niet. Hij is van jou. Wij gewone mensen kunnen ons vergissen, maar een hond, nee.'

Ik zag dat ding voor het eerst van mijn leven.

Later, toen we opgesloten zaten in een gebouw van de politiehondenschool, ben ik hun systeem van geuridentificatie gaan begrijpen. Ik keek hoe de dieren werden afgericht. Ze krijgen een schoen van iemand die vervolgens tussen andere wordt gezet. De hond ruikt eraan en gaat recht op de eigenaar van de schoen af.

Op dat moment herinnerde ik me dat Salma me mijn schoenen niet had gegeven toen ik de cel uitkwam. Maar dat was eigenlijk niet van belang; mijn geur kon hoe dan ook overal worden aangetroffen.

Tot 25 februari, de datum waarop ze me de Bulgaarse diplomaten lieten ontmoeten, was ik niet echt meer geslagen. Maar de body was het startsein voor de echte martelingen. Ze begonnen me vast te binden. En wel op een nogal aparte manier: ze snoerden mijn handen vast en hingen me zo op aan de deur dat mijn gewrichten mijn volledige gewicht moesten dragen. Na een paar seconden verging ik van de pijn.

Ik probeerde met mijn voeten tegen de deur te trappen en me vast te grijpen, maar dat was onmogelijk; hij was te glad. Terwijl ik daar zo hing vuurde de Hond zijn vragen op mij af.

'Vertel ons eens over Ashraf. Hoeveel geld heb je hem gegeven? Wanneer? Hoe heb je hem gerekruteerd? We hebben bewijzen dat jullie minnaars zijn geweest. Jullie zijn op vakantie geweest naar Bakour. We hebben er foto's van, dus ontken maar niet.'

Ik schreeuwde en hoorde zelfs niet precies wat ze zeiden.

Opnieuw brachten ze Ashraf binnen, die onmiddellijk begon te roepen: 'Zij is het! Zij heeft me gerekruteerd! Het is haar schuld! Zij heeft me geld gegeven...'

'Hij liegt!'

Dat was alles wat ik kon uitbrengen. Zo opgehangen aan de deur leken de minuten wel uren. Al na tien seconden voelde ik helse pijnen door mijn hele lichaam trekken.

Daarna werd ik teruggebracht naar mijn cel zonder licht. Het geknars en het metalige geluid van de deur waren mijn enige oriëntatiepunten.

12 maart 1999. Tripoli, huis van bewaring aan de Nasserstraat

Welgeteld de dertigste dag.

Mijn hart klopt op het ritme van de trippelende insecten. Ik zie hun silhouetten niet, nog geen stukje schaduw, ik weet niet waar de muur is. De spijlen van mijn cel zijn afgedekt. Ik voel de vloer door de matras heen. Mijn smerige lijf stinkt naar ontbinding. Al een maand heeft het geen water gezien. Vocht. Geur van ammoniak en eenzaamheid, van urine die al tijden over de rand van de doos stroomt. Zal ik ooit zo veel dorst hebben dat ik daaruit zal drinken? Ik wil er niet aan denken. Ik herinner me de kleur van de zon niet meer. Mijn dagelijkse stuk brood is me net toegeworpen. Het is nog licht: gefeliciteerd met je verjaardag, Kristiana! Veertig jaar.

Ik hoef mijn ogen niet te sluiten om weg te vluchten uit deze duisternis. Ik ben al elders, aan het strand, dat geweldige strand van onze weekends. Het is warm, een heerlijk windje, de barbecue is bijna klaar, iedereen is volkomen ontspannen. Ik hoor de stem van Alex: hij zingt, zoals altijd. Guido slaapt onder de parasol. Zdravko danst met een vriendin. Ze trapt op zijn tenen, hij tilt haar lachend op en zwaait haar rond.

Ik kom uit het frisse, heldere water en loop op blote voeten door het zand. De wind is zacht, de lucht zuiver. Ik zou het beeld van dit geluk in mijn hoofd voor altijd willen vastleggen. Ik ben zo ver weg... zo ver... Met mijn man en mijn vrienden onbezorgd op dat strand, waar in de verste verte niemand is te zien. Vorig jaar heeft Zdravko me parfum cadeau gegeven, de laatste geur van vrijheid en vrouwelijkheid. Ik zou er alles voor doen om een beetje daarvan op mijn huid te hebben.

En ik word weer belaagd door de stank.

Een maand lang hebben we op de matrassen in onze cellen wegkwijnend liggen wachten. Er werd ons eens per etmaal water verstrekt. Ik wist niet of het dag of nacht was. Ik oriënteerde me op het soort eten dat ons werd toegegooid. Ik sliep niet meer dan twee uur per etmaal, en de rest van de tijd spookten de verhoren door mijn hoofd: Ashraf, de Mossad, aids, het virus in de flesjes. Ik rolde over de grond terwijl in mijn hoofd onophoudelijk dat NEE bonkte. Ik zag dat ze een van ons uit haar cel lieten om de gang voor de cellen schoon te maken; mij lieten ze er nooit uit, geen enkele keer, zelfs niet om de wc's schoon te maken. Voor een beetje licht was ik bereid tot alles, maar ik mocht niet. Een maand lang bleef ik opgesloten in het donker. Wij probeerden door op de muren te bonken na te gaan of iedereen er nog was. Het was volkomen donker.

Tijdens de verhoren had ik vellen papier met een tekst in het Arabisch onder mijn neus geschoven gekregen.

'Tekenen!'

'Dat ga ik niet tekenen. Ik begrijp niet wat er staat. Ik wil een tolk, de ambassadeur en een advocaat.'

Ze begrepen nu wel dat ze aan mij niet zo'n makkelijke zouden hebben. De Hond siste daarop met zijn vreselijke stem: 'Waarom dan?'

'Ik ben onschuldig.'

Hij lachte honend: 'Als je onschuldig bent, krijg je van mij een roos!'

Op de terugweg naar mijn verblijf schreeuwde ik in de gang voor de cellen zo hard dat iedereen me kon horen: 'Meiden, teken niets zonder de ambassadeur en zonder tolk. Niet tekenen! Niet tekenen!'

5

BRIEVEN UIT BENGHAZI

Op 30 maart 1991 ben ik vanuit Sofia naar Libië gevlogen. Het was een van de laatste dagen van de ramadan.

Ik zat lekker in mijn vel. Ik droeg een elegant ivoorkleurig mantelpakje dat rechtstreeks uit de modebladen leek te komen – met de nadruk op 'leek'. Alleen de schoenen van imitatieslangenleer hadden wel driehonderd dollar gekost: een cadeau van Nelly, de vriendin die naar Zwitserland was gegaan. Ik had haar Russische kaviaar gestuurd en zij mij een paar schoenen. Toentertijd was in Bulgarije de kaviaar goedkoop.

Het vliegveld zag er niet bepaald aantrekkelijk uit. Geen stoelen, geen winkels, een grote leegte zonder luxe. Hoe goedkoop ook, mijn koffer zag er beter uit. Hij was door mensen die vast nog nooit hun handen hadden gewassen op een stilstaande transportband gesmeten.

Eén ding maakte grote indruk op me toen ik uit het vliegtuig stapte, omdat ik het nooit eerder had gezien: de lange djellaba's die de mannen droegen en het witte mutsje op hun hoofd. Ik snoof de geurige Libische lucht op met het prettige gevoel dat ik dit al eens had beleefd, zo heftig had ik ernaar verlangd. Ik voelde me op mijn plek. Als vrije vrouw in een land waar de vrouwen dat over het algemeen niet zijn. Ik besefte dat de volgende dag al toen ik constateerde dat de mannen alle boodschappen deden: ze gingen naar de markt, kochten kleding voor de kinderen. En zelfs het ondergoed voor hun echtgenotes. Vrouwen mochten wel autorijden en in moderne families werden er geen hoofddoeken meer gedragen. De stad was best aangenaam, maar het viel me vooral tegen dat de enige bioscoop van de stad uitsluitend toegankelijk was voor mannen. Andere afleiding was er niet.

Ik heb nogal dikke enkels, wat in de ogen van Europese mannen een onvergeeflijk gebrek is; in de Arabische wereld moest ik echter de ideale vrouw zijn, juist vanwege het feit dat ik minder volmaakt was... Mijn stevige botten en vlezige enkels waren voor die mannen buitengewoon aantrekkelijk. De manier waarop ik daar werd bekeken was echt heel bijzonder!

We waren met een groepje van vier Bulgaarse verpleegsters. De anderen had ik in het vliegtuig ontmoet. Iedereen had een baan gekregen in een van de ziekenhuizen in Benghazi. Dat gold ook voor een anesthesist die we later hebben ontmoet.

We hadden de dag na onze aankomst al een afspraak met dokter Saad, secretaris van het ministerie van Volksgezondheid. Het was zijn taak om ons over de ziekenhuizen te verdelen. Hij ontving ons een halfuur en kwam nogal nerveus en afwezig op me over. Hij moest ons vragen naar onze specialisaties en op ieders dossier noteren welke functie hem het meest geschikt leek. Mijn voorkeur ging uit naar cardiologie.

Op een hoekje van mijn dossier had hij geschreven: afdeling cardiologie, intensive care. Vanaf het begin heb ik het gevoel gehad dat dokter Saad anders tegen mij deed dan tegen de anderen... Volgens mij vond hij me sympathiek. Ik sprak bovendien Engels, en dat werkte in mijn voordeel.

Uiteindelijk moet zijn notitie een verdieping lager slecht zijn gelezen, want ik kwam terecht in het universiteitsziekenhuis bij de algemene geneeskunde. En ik werd dus naar de receptie verwezen van een zogeheten polikliniek.

22 april 1991. Brief uit Benghazi aan mijn echtgenoot
Zdravko

Lieve Zdravko,
  Hier begint alles wat mij betreft vastere vorm aan te nemen. Een week geleden ben ik begonnen met mijn werk in het universiteitsziekenhuis Aouari. Ik ben tewerkgesteld bij de ontvangstbalie van de polikliniek die van tijd tot tijd de functie van eerste hulp vervult. Ik heb twee Bulgaarse collega's die hier al drie maanden zijn. Hier heeft iedereen op zijn minst één chef, en ik heb twee hoofdverpleegkundigen, een Libische en een Albanese die getrouwd is met een Libiër. Mijn werk is niet erg moeilijk. Er zijn goede geneesmiddelen, allemaal import. De patiënten zijn smerig en stinken. De afdeling heeft maar drie zalen. De artsen met wie ik te maken heb zijn Indiaas, Libisch, Egyptisch of Palestijns; we spreken bij voorkeur Engels met elkaar, want we zijn bijna allemaal buitenlands. Ze zijn beleefd tegen me en ik neem aan dat ik hier geen problemen zal krijgen. Mijn medehuurster werkt op de afdeling urologie. De eerste dagen aten we voornamelijk in de kantine van het ziekenhuis, maar voortaan gaan we naar huis om te eten. We hebben een andere, mooiere kamer gekregen, op de derde verdieping. We hebben zelfs een terras en er zijn veel duiven. Hier moet je echt elke dag schoonmaken, want vaak waait er 's nachts een heel warme, harde wind die de Ghibli wordt genoemd en die uit de woestijn komt. 's Ochtends is dan alles bedekt met een dun laagje rode stof.
  De artsen hier lijken minder gekwalificeerd, ze werken langzaam en inefficiënt en van tijd tot tijd doen ze dingen ver-

keerd. Wat voor jou erg belangrijk zal zijn is de taal. Doorde-
weeks gaan we boodschappen doen in Benghazi omdat in de
stad alles goedkoper is. Dicht bij ons appartement zijn twee
winkeltjes waar allerlei levensmiddelen te koop zijn, maar die
zijn ongelofelijk duur. Op onze verdieping wonen twee Syrische vrouwen, ik probeer van hen Arabisch te leren, ik ken al
ongeveer dertig woorden. Ik begin te wennen en doe mijn best
negatieve dingen niet te zien. Ik hou van je.
Krissy

16 mei 1991. Benghazi

Zdravche*,

Ik heb je twee brieven ontvangen. Jij bent de enige die me
schrijft, niemand lijkt aan me te denken. Ik voel me een beetje
vergeten, maar weet je, ik ben wel tevreden over mezelf: ik
ben blijkbaar sterk, ook al denken sommige mensen dat ik
lichtzinnig ben, met een zwakke wil. Tot op heden heb ik nog
geen traan gelaten. Ik voel zo'n vasthoudendheid in mezelf dat
ik me nergens wat van aantrek, al zou het stenen gaan rege-
nen. Ik hoop dat dit niet betekent dat ik 'stoïcijns' ben geworden.

Ik heb best aardige Bulgaarse collega's bij de hemodialyse. Ze
vinden me wel aardig geloof ik en zoeken mijn gezelschap. Ik
werk nu alleen, maar altijd voel ik ogen in mijn rug prikken.
Ik ben eraan gewend in de gaten te worden gehouden en het
stoort me zelfs niet eens meer. Zo zal het nog wel enkele
maanden zijn en dan laten ze me vast met rust. Ik voel me nog
niet helemaal zeker van mezelf, want mijn werk brengt veel
verantwoordelijkheid met zich mee en mijn concentratie mag

---

* Troetelnaam voor Zdravko

nooit verslappen. Ik begin een beetje Arabisch te praten met de patiënten (ik kan al tot honderd tellen!), en als ik het niet begrijp, tover ik mijn allerliefste glimlach op mijn gezicht, haal mijn schouders op en bied mijn excuses aan. Met de artsen heb ik geen enkel probleem omdat ze allemaal Engels spreken. Vroeger, een jaar of tien, vijftien geleden waren de eerste buitenlanders die in het ziekenhuis kwamen werken allemaal Joegoslaven. Ze zijn er nog steeds, maar vanaf dit jaar worden hun contracten niet meer verlengd en worden ze vervangen door Bulgaren. Daarom spreekt een groot deel van het personeel Servisch.

Wil je alsjeblieft je best doen hierheen te komen met een werkvisum en niet met een toeristenvisum, zelfs als het dan wat langer duurt? Probeer er bij het Libische consulaat beleefd op aan te dringen, want de immigratiedienst jaagt op iedereen die met een toeristenvisum het land in is gekomen en toch van plan is te gaan werken. Ze brengen zelfs hun echtgenoten in de problemen. Breng ook kleding mee uit Sofia, dat scheelt weer, we hebben geld nodig voor belangrijker zaken. Levensmiddelen zijn er genoeg; er is geen worst te krijgen maar wel vers vlees en daar kunnen we best lekkere Bulgaarse gerechten mee maken. Sinds drie weken zijn er abrikozen te koop, en de tomaten zijn zo groot als kinderkopjes. Er zijn ananassen, bananen, appels en nog ander fruit waarvan ik de naam niet ken. Rondom onze huizen groeien druiven waar niemand wat mee doet; ik heb er wat blad van geplukt om er gevulde druivenbladeren mee te maken. Ik kan je ontvangen met je lievelingsgerecht! Ik ben niet afgevallen maar ik voel me goed en in vergelijking met de mensen hier ben ik slank. Vraag in Sofia of er invoerrechten moeten worden betaald voor een televisie en een video, ik meen dat namelijk te hebben begrepen. Elektronica is hier erg duur en zonder televisie is het maar wat saai.

Ze hebben ons toegezegd dat er een Bulgaarse club zou worden opgericht dicht bij onze appartementen, er zijn namelijk nog wat ongebruikte ruimtes.

Morgen heb ik vrij. In de stad zijn veel fotolabs en ik zal mijn rolletjes erheen brengen om te laten ontwikkelen. De kwaliteit is hier behoorlijk goed, gewoon omdat het papier en de apparaten worden geïmporteerd. Zorg goed voor jezelf en neem voldoende rust, je bent gezinshoofd en ook mijn geestelijke steun. Van harte gefeliciteerd met je verjaardag. Ik hou van je.

Kristiana

Deze eerste baan was niet vervelend, zelfs interessant, en zo heb ik zonder al te veel moeite de lokale medische terminologie kunnen leren. Ik kende niet al te veel vakterminologie in het Engels, maar dat heb ik spoedig bij kunnen spijkeren. Een maand lang heb ik op de polikliniek gewerkt, maar ik vond het daar lastig dat ik geen Arabisch sprak, ik kon niet communiceren met de patiënten en met Engels kwam ik bij hen niet verder. Het was niet eenvoudig, maar het beviel me er toch wel. Ik ben nooit bang geweest om nieuwe dingen te leren en zelfs onder deze omstandigheden ben ik mezelf gebleven.

Na een maand werd ik bij de arts ontboden die het hoofd was van de dialyseafdeling van het Aouari Ziekenhuis. Ik had gehoord dat hij zeer veeleisend en strikt was en dat hij op zijn afdeling alleen maar verpleegkundigen wilde die Engels spraken. Achter het bureau zat een nogal slanke man van een jaar of veertig, die een mooi gezicht moest hebben als hij lachte – wat hij niet vaak deed! Deze man droeg een kapje. Hij was onverstoorbaar en richtte zich uitsluitend tot ons om orders te geven. Haast maniakaal streng. Ik gaf hem de bijnaam 'de Dictator'.

Voor het eerst van mijn leven kwam ik in een hemodialyse-zaal en wat ik te zien kreeg verbaasde me enorm. Ik waande me eerder in een kerncentrale dan in een ziekenhuis. Ik heb helemaal niets laten merken, maar ik was er niet gerust op. Ik heb toen besloten dat ik het in ieder geval zou gaan redden daar. Als de andere Europese, Egyptische of Syrische verpleegsters erin waren geslaagd zich aan te passen, dan zou het mij ook wel lukken. Ik had een paar maanden nodig om vertrouwd te raken met dit nieuwe werk. Daarna werd het interessant. Ik spande me tot het uiterste in, leerde veel en kon steeds meer dingen zelf. Intussen zocht ik nog een baantje erbij om mijn salaris aan te vullen. Ik ontving onregelmatig voorschotten die niet veel voorstelden: tachtig dinar was er zo doorheen. Ik wachtte op Zdravko. Hij zou over een paar maanden komen, misschien dat alles dan eenvoudiger zou worden.

Op de afdeling hadden wij patiënten van alle leeftijden. Weinig kinderen, een stuk of twee geloof ik, maar vooral veel jongeren, volwassenen en bejaarden. In het begin had ik de zorg voor twee patiënten en uiteindelijk waren dat er vier per dag. Wanneer het apparaat eenmaal op zijn plek stond en de patiënt erop was aangesloten, moest de bloeddruk voortdurend worden gecontroleerd, net als de werking van de machine. We moesten de patiënt laten drinken en te eten geven. Tot aan 1992 stonden er zowel oude modellen als nieuwere apparaten. Daarna is alles gereorganiseerd en is de afdeling helemaal vernieuwd.

Onze chef toonde een buitengewoon grote inzet. Hij was zeer veeleisend, met name op het gebied van hygiëne, en het was er dan ook redelijk schoon. Na iedere dialyse gooiden we de injectienaald en het filter in een speciale bak. Sommige Egyptische en Libische verpleegkundigen voerden dit niet correct uit. Ze deden bijvoorbeeld het dopje niet terug op de naald, waardoor de schoonmaakster het risico liep bij het verwisselen van de plastic zak zich te prikken en besmet te raken met hepatitis, als een van onze patiënten dit had. Maar niemand maakte zich druk om de gezondheid van het schoonmaakpersoneel, en de vrouwen zelf namen ook geen voorzorgsmaatregelen. De verpleegkundigen droegen soms te dunne beschermende handschoenen, van materiaal dat meer op cellofaan leek dan op latex. Ik heb hierop gewezen maar er veranderde niets.

En de patiënten? Die werden al helemaal niet ingelicht over hun eigen bescherming. Eigenlijk zouden ze minstens tweemaal per dialysedag moeten douchen om al hun transpiratietoxines af te voeren. Omdat ze dat niet deden, roken ze bij vertrek naar ureum en creatinine.

Tijdens mijn vrije dagen hield ik me met het huishouden bezig in afwachting van Zdravko en mijn zoon. Ik had nog niet genoeg geld om een taxi te nemen om te gaan winkelen in de stad, maar de personeelsflats van het ziekenhuis bevonden zich op dertien kilometer van het centrum. Ook was er geen enkele vorm van openbaar vervoer. Op de binnenplaats van het Aouari Ziekenhuis stonden flats van twee verdiepingen met appartementen voor buitenlandse werknemers. Al die jaren lang heb ik in het kleine flatje gewoond dat ik in het begin toegewezen heb gekregen. Het appartement was behoorlijk vuil toen we er kwamen, we hebben twee dagen moeten schoonmaken voor het leefbaar was. Ik had een bed, een tafel, een koelkast, een badkamer en een toilet.

Zdravko is uiteindelijk vijf maanden later samen met mijn zoon gearriveerd, maar op een toeristenvisum. Dokter Saad wilde het dossier van mijn man zien. Ik wilde dat eigenlijk niet, want ik was bang dat hij een tegenprestatie zou verlangen, maar ten slotte heb ik het hem toch gegeven. Hij heeft het opgestuurd naar een kinderziekenhuis voor een sollicitatiegesprek en Zdravko werd daar onmiddellijk aangenomen. Hij ging toen terug naar Bulgarije om een werkvisum aan te vragen bij de Libische ambassade, en na een maand kon hij in een polikliniek in dienst treden als kinderarts. Dokter Saad had hem gevraagd iets voor hem te doen, namelijk zijn eigen vijf kinderen te onderzoeken, vooral een jong zoontje met astma. De twee mannen mochten elkaar en Zdravko heeft het kind gratis behandeld. Onze gezinnen kwamen niet bij elkaar over de vloer, maar in de loop der maanden is er een zekere vorm van vriendschap ontstaan tussen Saad en ons. Zo kwam hij vaak langs in ons appartement – daarvoor hoefde hij alleen de binnenplaats van het ziekenhuis over te steken – en wij spraken dan over van alles, vooral over de kinderen, maar nooit over het werk. In het begin heeft Saad wel geprobeerd me het hof te maken, op Libische wijze – wel erg direct, zeker als je de stijl van dit soort mannen niet kent – maar daar heb ik me handig uit gered, waarna hij me is gaan waarderen als een goede verpleegkundige en een westerse vriendin met wie hij een beetje 'op adem kon komen', even weg uit de beslommeringen van zijn werk.

Elf maanden lang heeft Zdravko geen cent salaris ontvangen. Ik moest een extra baan nemen om met zijn drieën te kunnen leven. We werden altijd cash betaald bij de kas van het ziekenhuis, waarvoor alleen een register getekend moest worden; je kreeg geen loonstrook. Zo kreeg ik iedere maand tachtig dinar. Steevast cash. Met mijn tweede baantje verdiende ik honderdtwintig dinar extra. Met zijn drieën was tweehonderd dinar nog wat krap, maar we konden ervan leven. Tot de avond dat Zdravko thuiskwam en bankbiljetten door het hele huis strooide! Hij maakte er een spoor van dat begon bij de voordeur, verder liep via een stoel die helemaal werd bedolven en eindigde in een berg die de hele tafel bedekte.

Er lag daar meer dan tweeduizend dinar. Zijn maandsalaris, ongeveer tweehonderd dinar, vermenigvuldigd met elf maanden! In die tijd was het grootste biljet tien dinar...

Eindelijk was hij betaald en hij stond erop mij een prachtige armband cadeau te doen, en een videorecorder. Wat een feest! Vijfhonderd dinar voor de armband, vierhonderdvijftig voor de video... Verder hadden we de mogelijkheid om geld over te maken naar Bulgarije, ook al duurde de administratieve verwerking ervan soms wel een maand of drie – niets functioneerde normaal.

Het was prettig om thuis films te kunnen kijken, al had ik er helaas nauwelijks tijd voor met mijn twee banen. Als ik thuiskwam plofte ik neer op mijn bed.

Het tweede jaar bouwden we een vriendenkring op van allemaal buitenlanders en we kochten een auto om op onze vrije dagen en in het weekend naar het strand te kunnen gaan. Aan de kust, honderdzestig kilometer van de stad, waren werkelijk prachtige plekjes te vinden. Een immens verlaten strand. Daar kwamen we met onze vrienden bij elkaar. Het strand was ons andere leven!

Het Libische strand is ongeveer tweeduizend kilometer lang. Fijn zand aan de Middellandse Zee. Schoon, rustig, geen mens te zien. In Libië bestaat geen toerisme, met als gevolg dat de schitterende natuur er volkomen verlaten is. Duinen en nog eens duinen, palmen en een blauwe, heldere zee. Je vergat dat je in Libië was. Het kon ieder willekeurig zonovergoten oord zijn. Op het strand leefden we pas echt. Soms waren we wel met een man of veertig: uitsluitend buitenlanders, Europeanen. Van april tot oktober brachten we daar iedere week twee onbezorgde dagen door. Op het strand bouwden we onze eigen wereld: met tenten, ligstoelen, barbecues, muziek en aangenaam gezelschap. In het midden van de jaren negentig kwam er een groep Poolse vrouwen bij, die zich spoedig een plek verwierven binnen onze strandclub. Binnen korte tijd waren ze allemaal bevriend met Engelsen.

Zdravko heeft toen kennisgemaakt met een Engelsman die werkte voor een Koreaans consortium in de woestijn, het Donga Consortium.

Dit project, dat de 'Grote Rivier' heette en miljoenen dollars kostte – het op een na duurste project ter wereld – had als doel zoet water uit de woestijn te winnen voor de watervoorziening van de steden. Het Koreaanse bedrijf werkte met buitenlands personeel en iedereen had zijn eigen specialisme. Ze mochten Zdravko graag, met zijn enthousiasme en zijn eigenzinnige karakter.

Terry bood Zdravko een baan in de woestijn aan, en die accepteerde hij. Hij heeft een onderhoud met de Koreanen gehad, heeft vervolgens ontslag genomen en is vertrokken naar de woestijn, op 1100 kilometer van Benghazi, voor een salaris dat vijfmaal zo hoog was als wat hij daarvoor verdiende. Hij werkte daar onder ideale omstandigheden als arts in een tweeduizend inwoners tellend wooncomplex voor de arbeiders. Op medisch gebied beschikte hij over alle mogelijkheden – apparaten, een noodaggregaat, geneesmiddelen, een onderzoektafel en een op Koreaanse wijze georganiseerde zorg.

Ik bleef alleen achter. We stuurden elkaar brieven via de bus die een dagelijkse verbinding onderhield met de plaats. We hielden telefonisch contact. Iedere keer als hij iets in Benghazi te doen had, profiteerden we daarvan om elkaar te ontmoeten. Maar dat gebeurde haast nooit. Hij bleef dan een nacht en ging weer weg. Om het halfjaar bracht hij veertien dagen verlof in Benghazi door, en veertien dagen in Bulgarije. Zo heeft hij in verschillende wooncomplexen gewerkt, vier in totaal, al waren ze kleiner dan de eerste.

Voor mij ging het leven gewoon verder, voornamelijk met mijn vrienden van het strand. Ze waren aardig, vrolijk en in tegenstelling tot Bulgaarse mensen hadden ze het alleen over de vrolijk kanten van het bestaan. Niemand nam zijn persoonlijke problemen en ongemakken mee naar onze oase. We lieten alle onprettige kanten van het dagelijks leven achter om deze goede momenten niet te bederven. Sommigen van hen zijn uiteindelijk helaas meegesleurd in de hele trieste affaire.

Edmond was een Albanees uit Tirana, die op de dialyseafdeling werkte als vaatspecialist. Hij was ambitieus en nauwgezet in zijn werk. Een waanzinnige perfectionist. Hij sprak vier talen, en om aan de Albanese misère te ontsnappen had hij geprobeerd met zijn vrouw via Egypte naar de Verenigde Staten te vluchten, helaas tevergeefs. Zijn enige plezier was zijn werk. Hij was zo fanatiek geworden dat hij foto's nam van fistels om een medisch handboek samen te stellen. Hij leefde als een dier, schonk geen aandacht aan zijn voeding en stopte al zijn geld in chirurgieboeken. Hij was een onverbeterlijke luchtkastelenbouwer... Hij droomde ervan een particulier centrum voor hemodialyse op te richten in Albanië. Ik weet niet of hij hierin geslaagd is. Vóór de arrestaties heeft hij het land verlaten en inmiddels is hij door het Libische gerechtshof bij verstek veroordeeld tot drie jaar gevangenisstraf en een boete voor alcoholgebruik in het openbaar.

Guido was een Zwitser, hij kwam uit Bern. Hij was technisch geschoold en werkte als monteur in de pastafabriek van Benghazi. Hij woonde in een huis aan de binnenplaats van de fabriek. We hebben elkaar in 1994 leren kennen. Hij was nog geen dertig. Het was een grote blonde man met blauwe ogen. Een charmante, flegmatieke knul die niet erg spraakzaam was. Wat er om hem heen gebeurde leek hem niet erg te interesseren.

Hij organiseerde gezellige feestjes bij hem thuis – een goede gastheer, die gastvrij en hulpvaardig was maar ook naïef en zonder veel ambitie. Zijn Oekraïense vrouw en hij lagen in scheiding. Hij had haar ontmoet in Omsk, waar hij werkte. Ze had een kind uit een vorig huwelijk en was ongetwijfeld met hem getrouwd vanwege zijn Zwitserse nationaliteit. Hij was niet al te prettig in de omgang, zijn gedrag was grillig als van een kind – een onvolwassen knul. Maar Guido was wel blond en knap. In tegenstelling tot in Zwitserland, waar zijn uiterlijk volkomen doorsnee moest zijn, wekte hij in Libië sensatie. Daarnaast werkte het in zijn voordeel dat hij een bedrijfsbusje tot zijn beschikking had en hij dus zijn kameraden mee kon nemen naar het strand. Het was een beste vent, zonder bijbedoelingen. Niemand voelde zich onveilig bij hem. Diep van binnen droeg Guido echter een pijnlijk geheim met zich mee. Hij heeft zijn hart bij mij uitgestort.

Hij was verslaafd geweest aan heroïne, en had een methadonbehandeling ondergaan. Libië was wellicht ook weer een vlucht uit de werkelijkheid, die hij slecht aankon.

Ik gaf hem vitamine-injecties om hem aan te laten sterken, want hij was net genezen van hepatitis B. Ik deed mijn best hem zoveel mogelijk te helpen. Dat was het minste wat ik kon doen, en ik interesseerde me meer voor de onderzoeken van zijn lever dan voor zijn verhalen over de angsten die hij als ex-drugsverslaafde had. We gingen na het strand vaak naar zijn huis. Die avonden waren voor ons gewoon gezellig. Hijzelf dronk echter niet om vrolijk te worden, maar om zich te bezatten. Op een gegeven moment viel hij om, sliep ter plekke in en liet de club verder van zijn gastvrijheid profiteren.

In de gevangenis moest ik weer aan Guido denken. Hij had me in zijn getuigenverklaring beschreven als sterk en overheersend. Misschien had hij uit angst een beetje overdreven of had hij domweg verteld wat ze van hem wilden horen. Anders hadden ze hem ervan weerhouden Libië te verlaten. Dat sierde hem niet. Er zijn waardiger manieren om je eruit te redden. Ik had niet gedacht dat een Europeaan zo'n gebrek aan moed aan de dag zou leggen. Anderen hebben zich in stilzwijgen gehuld. Hij deed er een schepje bovenop.

Ik ben erin geslaagd mijn haat en onbegrip te overwinnen en er is onverschilligheid voor in de plaats gekomen. Zo heb ik een aantal witte vlekken, eilandjes van ijs in het diepst van mijn ziel. Ook Guido is er zo een.

Ook Alexandre, een Schotse ingenieur van eenenvijftig jaar die bij Brown and Root werkte, stond op mijn foto's. Deze intelligente, goedlachse man was de spil van de vriendenclub. Hij wekte beslist niet de indruk achterbaks te zijn, maar moet ook zo zijn geheimen hebben gehad. Hij was de zoon van een militair en had de eerste tien jaar van zijn loopbaan in een onderzeeër doorgebracht. In Benghazi had zijn bedrijf de supervisie over het enorme bouwproject van de Grote Rivier. Op dit moment haalt Brown and Root het merendeel van de logistieke opdrachten van het Amerikaanse ministerie van Defensie binnen.

Een feest zonder Alex was geen feest. Hij was groot, had groene ogen, was een tikje gezet en zeer kunstzinnig. Hij was de beste zanger en muzikant van ons allemaal en wist het goed te brengen. Ook was hij een goed verteller. Al zijn verhalen – of ze nu triest of vrolijk waren – getuigden van goede smaak. In gezelschap pakte hij zijn gitaar en kon urenlang liedjes zingen. Hij had een goed repertoire, maar helaas ging hij meer zingen naarmate hij meer dronk. Met een stem à la Pavarotti. Daarnaast was hij een goede kok die uitstekend gekruide gerechten kon maken. Hij hield van het leven. Hij leefde zijn leven en klaagde nooit. Alex was ook een charmeur die van iedereen een uniek persoon wist te maken. Hij was geliefd. De groep raakte veel kleur kwijt toen hij in november 1998 vertrok, drie maanden voor mijn arrestatie.

De winter kan in Libië afgrijselijk saai zijn. Toch wisten we er ook tijdens het regenseizoen wat van te maken. We organiseerden wedstrijden: het ging om een hardloopwedstrijd over drie kilometer langs een vooraf uitgezette route die via herkenningspunten door de 'kudde' deelnemers gevolgd kon worden. Het was van belang om in de finale te komen, want dan begon het leuk te worden. Over het hele parcours hielden observatoren toevallige of opzettelijke incidentjes tussen de concurrenten in de gaten. De een was achter een palmboom zoekgeraakt, een ander bleef achter, weer twee waren in een greppel verdwenen. De ceremoniemeester maakte een lijst van de meest komische momenten van de wedloop. Als prijs mocht je vaak bier drinken uit een rubberen gootsteenontstopper, wat niet eenvoudig is. Deze zogeheten *Hash*, waaraan wij ons met hart en ziel overgaven, was volgens een Engelsman een spel uit de jaren veertig, afkomstig uit Maleisië. Ik ken geen betere groepstherapie en weet ook geen beter middel om relaties en sfeer te bevorderen. Elke vrijdag was het lachen geblazen, en erna maakten we onmiddellijk een afspraak voor de volgende keer! Op een keer maakte een Engelsman een racistische opmerking aan het adres van een Maltees. Hij is gelijk weggestuurd. De groep stond geen minachting toe jegens wie dan ook.

Halloween was het hoogtepunt van het herfstseizoen. Op 31 oktober stond iedereen in vuur en vlam. De westerlingen droegen vaak kant-en-klare vermommingen. Wij, de Bulgaren, maakten ze altijd zelf. Ooit had Zdravko zich vermomd als schoorsteenveger en kwam de hele groep zijn muts aanraken omdat dat geluk bracht.

Onze groep bestond uit de meest uiteenlopende mensen; we hadden zelfs onze eigen John Kennedy, een Ier die erg van paardensport hield. Hij woonde in een villa, zoals bijna alle buitenlanders die het zich konden veroorloven een huis te huren. Alleen de Oost-Europeanen en de Filippijnen verbleven in de overheidscomplexen. We hadden allemaal bijnamen. Ik was Christina Onassis en verder had je onder meer Torro Bocolino, Magic Carpet en Paul McCartney...

Op het parket kreeg ik negen foto's te zien van mensen die John heetten en in Benghazi werkten. Ik kende er zes en wees die aan. Het parket interesseerde zich klaarblijkelijk niet voor de mensen uit het Westen en dus werden zij niet vervolgd. Alle buitenlanders in Libië konden tot vier jaar gevangenisstraf worden veroordeeld als ze alcohol gebruikten, maar in feite deden de politieagenten daar nooit moeilijk over. Mij werd verteld dat als er in de stad een dronken Engelsman werd opgepakt deze vriendelijk meegenomwerd en naar het bureau, waar hij thee te drinken kreeg, onder de koude douche werd gezet en een paar uur later weer kon vertrekken. Bodo, een Duitser, vertelde dat hij ook een keer was aangehouden: 'Ik was zo zat dat ik de auto niet meer uit kon komen. De agenten wisten er niet goed raad mee en hebben me geadviseerd om heel voorzichtig verder te rijden – er stonden veel bomen langs de weg – zodat ik veilig thuis zou komen. Verder niets.' De Engelsen maakten hun eigen bier.

Een fles brandewijn van anderhalve liter kostte op de zwarte markt wel vijfentwintig dinar. Die maakten wij van suiker, vruchten of tomatenpuree. En uiteraard was de Bulgaarse brandewijn de beste! Ik ben veroordeeld voor de verkoop van alcohol in Libië. Maar ik handelde er beslist niet in, ik had het alleen in huis. Tijdens de huiszoeking in mijn appartement hebben ze een kist champagne zonder alcohol aangetroffen. Dat hebben ze echter niet eens uitgezocht.

Merkwhisky of -wodka kostte tachtig dinar per fles. Dat was slechts weggelegd voor de mensen die een paar duizend dollar per maand verdienden, en daar hoorde ik niet bij. Ik heb nooit op de zwarte markt alcohol kunnen kopen, maar was tevreden met het feit dat ik voor feestjes werd uitgenodigd en dan ook een glaasje kon drinken.

Wat voor drank gold, gold ook voor geld: ik ken geen buitenlander daar die nooit geld heeft gewisseld op de zwarte markt. Tussen 1992 en 1998 bedroeg de wisselkoers van de dollar in de Goudsoek één dollar tegen drie dinar, terwijl het bij de bank andersom was. Dat was zo waanzinnig dat niemand de verleiding kon weerstaan. Geld was niets meer waard en de Libiërs stelden regels op waarvan ze heel goed wisten dat we ons daar niet aan konden houden.

Rondom ons hadden veel buitenlanders torenhoge salarissen vergeleken bij de onze, maar als verpleegkundige zat ik statistisch in de middenmoot en mijn man werd als arts goed betaald. We hadden genoeg om onze vaste lasten van te betalen, een auto te rijden, te kopen wat we wilden en geld naar Bulgarije te sturen. Eindelijk konden we een normaal leven leiden, maar ook niets meer dan dat.

Wel miste ik mijn zoon. Er werd in Benghazi geen les meer gegeven in het Bulgaars en hij had het er sowieso niet naar zijn zin. Dus was hij teruggegaan naar Bulgarije, naar zijn grootmoeder. Dat was mijn enige zorg; ik was bang dat hij zonder mij niet veel zou uitvoeren op school.

6

MAGIC MACHINE

De Hond, de Generaal en de tolkende Chemicus kwamen met z'n drieën terug op een nacht dat ik helemaal naakt was zodat Salma kon controleren of de ongelukkige Ashraf de waarheid had gesproken toen hij zei dat ik geen litteken had van een blindedarmoperatie.

Met veel lawaai gingen de deuren open en werden alle verpleegsters uit hun cel gehaald. We werden geblinddoekt en tegen de muur gezet als voor een executie en kregen het bevel op één been te gaan staan met onze armen in de lucht. Het is lastig zo te blijven staan, vooral met een blinddoek voor. Als ik wankelde, als mijn voet de grond zocht, werd ik gestraft. Met een dikke staalkabel met plastic eromheen werd ik op mijn voetzolen geslagen: de perfecte zweep. Er is een Bulgaarse dans in zevenachtste maat die de *Ratchenitza* heet en wel wat lijkt op de Ierse dansen. Welnu, ik danste de *Ratchenitza* op de maat van de kabel. Ene voet, een klap, andere voet, een klap, en zo ging het door tot ik instortte, en dit een paar dagen lang.

Mijn voetzolen waren helemaal verdwenen. Je zag alleen nog maar blaren, bloed en lymfevocht. Toch moest ik met mijn armen omhoog tegen de muur blijven staan. Als ik ze liet zakken bewerkte de kabel mijn hele lijf. Mijn hele lichaam was één grote bloeduitstorting, mijn oorspronkelijke huidskleur was nauwelijks meer te zien. Dag en nacht ging het door, de kabel werd afgewisseld door een stok, maar dat maakte niet uit. Ik zwol op. Ik paste zelfs niet meer in de spijkerbroek die ik aanhad toen ik werd opgepakt. Aan het eind lieten ze me rennen. Ze amuseerden zich ermee me de gang op en neer te zien rennen. Maar mijn gezicht werd altijd gespaard, ik moest toonbaar blijven. Ik wist niet meer wie ik was. Ik kon mijn eigen geur niet meer verdragen, de geur van de angst. Na vijfenveertig dagen zonder water stonk mijn zweet naar angst. Ik probeerde mijn nagels te vijlen aan de muren van mijn cel. Ik werd langzamerhand een beest dat slechts wilde overleven.

Mohammed, degene die ons het meeste sloeg, zag er niet uit als een smeris. Hij was niet afstotelijk maar een gewone man met een bril; hij sloeg zonder vragen te stellen, zonder emoties en op methodische wijze, alsof hij een vast patroon volgde. Als hij weer ophield, ging hij met ons om alsof er niets was gebeurd. Een van de laatste dagen die we op dit politiebureau doorbrachten, lieten ze ons alleen met onze armen in de lucht. De politiemensen bleven een minuut weg en zo konden we enige woorden wisselen. Valya fluisterde: 'Hoe lang nog?'

Ik heb geen antwoord gegeven, alleen mijn kleding opgelicht zodat ze kon zien dat ik overal blauwe plekken had, zo veel was ik geslagen. De dag ervoor was ik waar zij bij waren afgetuigd, met een kabel of een stok, dat weet ik niet meer. Ze hadden me aan mijn polsen met een laken aan het raam opgehangen, zodat ik met de punten van mijn tenen maar net de vloer kon raken. Mohammed spuugde me in mijn gezicht. Hij pakte een handvol as en duwde die in mijn mond, waarna hij zijn spelletje met een sigaret vervolgde. Hij hield hem dicht bij mijn teen, bij de nagelaanzet, en hield hem daar zonder mijn huid ooit te raken, maar lang genoeg dat het begon te branden en pijn ging doen.

Opnieuw begon hij me te meppen met zijn kabel en stelde vervolgens een vraag: 'Ken je Serdjika?'

Ik begreep het niet en vroeg of het een Filippijnse was. Later begreep ik dat hij Snejanka* bedoelde. Die kende ik niet.

Toen de dienst van Mohammed erop zat kwam Salma. Haar repertoire was weer anders; zij vroeg ons te gaan zingen. Snezhana begon gewoonlijk met een kinderliedje. Salma was een monster, ze was wreed op een vrouwelijke manier. Ze vroeg aan de politiemensen om over ons heen te lopen, om met hun profielzolen op onze tenen te stampen. Onze voetzolen, al veranderd in één grote blaar, kregen nu ook nog dat gewicht te verduren. We stonden op het punt volledig in te storten.

Ze vond het heerlijk om te zien hoe de pijn ons de adem benam.

Salma was ongeveer vijftig jaar oud, en ze woonde in een hoek van de gang waar onze cellen op uitkwamen. Daar had ze twee matrassen, een deken en een metalen pan om thee te maken. Zij was verantwoordelijk voor ons en het politiebureau was haar woning. Dat vond ze niet echt een probleem. Van tijd tot tijd observeerde ik haar door de kieren van de cel, en zo zag ik op een avond een jonge knul, een politieman van een jaar of twintig, met haar naar bed gaan. Hij gleed met zijn hand onder de deken. En deze keurig gesluierde vrouw met al haar schijnbare achtenswaardigheid of zelfs maagdelijkheid kronkelde onder zijn handen. Ze waren verstrengeld als dieren, zonder schaamte. Salma bad vijfmaal per dag en beweerde dat ze al twintig jaar geen man had aangeraakt. Deze zelfde Salma, zo belust op verboden strelingen, heeft Valya een teenslipper in haar mond gepropt toen ze om water vroeg na een marteling met elektrische schokken. Ze heeft Snezhana ver-

---

* Sneeuwwitje in het Bulgaars

zocht Arabische gebeden op te zeggen, heeft haar een hoofddoek omgedaan en haar op een ochtend meegenomen naar de binnenplaats om samen met haar te bidden.

Vreemd genoeg zijn we allemaal gehecht aan Salma, die door ons Mama Salma wordt genoemd. Het monster en de achtenswaardige getuige van ons onophoudelijke sterven, de ongevoelige die geconfronteerd met ons lijden haar emoties domweg wist te beheersen omdat ze die niet had. Toch had ik tranen in mijn ogen toen ze ons vertelde dat ze was overgeplaatst. Misschien is dat het syndroom van Stockholm wel: je raakt gehecht aan je folteraars, aan degene die je hebt aanvaard als de 'minst slechte' van allemaal.

Die 'goede' Salma zette het op een schreeuwen toen ik uit de cel werd gehaald om de eerste keer elektrische schokken te ondergaan en misschien moest ik daarom wel huilen bij haar vertrek. Maar ik haat haar omdat ze toekeek. Met haar groene ogen die mooi hadden kunnen zijn.

Valya was de eerste die werd meegenomen voor verhoor elders dan op het politiebureau. Toen ze werd teruggebracht liep ze als een dronken vrouw. Voordat ze haar cel weer in moest slaagde ze er met moeite in één woord uit te brengen: 'Elektriciteit.'

Zij was eerder aan de beurt dan ik.

De avond voordat ik er op mijn beurt aan moest geloven, hebben ze me een douche laten nemen. Ze wilden dat ik schoon zou zijn, en de Hond heeft me zelfs nieuwe kleren gegeven. Ik heb buiten de cel geslapen, op de matras naast Salma. Ze gaf me een stukje van haar gebraden kip en wat frisdrank. Deze buitengewone luxe kon geen toeval zijn. De volgende dag begreep ik waarom dit me overkwam. Ik werd schoon en goed gekleed meegenomen naar een gebouw van de politiehondenschool, met een blinddoek voor mijn ogen.

Ik hoorde een man schreeuwen van pijn en ik kon mezelf er niet van weerhouden te denken dat het Zdravko kon zijn, en dat deed zeer.

Op dat moment kon ik niet weten dat de man die schreeuwde in werkelijkheid een politieman was en dat de kreet bedoeld was om me van tevoren al de stuipen op het lijf te jagen. De folteraars weten wat ze doen; ze bedienen zich van de psychologie van de angst.

De Hond nam mijn blinddoek weg en begon weer: 'Waarom zat het aidsvirus in die flesjes?'

'Als er aidsvirus in zat moet iemand dat erin hebben gestopt.'

'Nog een keer!'

'Ik weet niets.'

Mijn antwoorden waren altijd kort en ontkennend: 'Ik weet het niet. Ik weet het niet. Ik weet het niet...'

Ik keek strak naar het portret van kolonel Kadhaffi tegenover me.

'Weet je wie dat is?'

'Uw president.'

'Weet je dat die man mijn oom is en dat hij me heeft gezegd dat ik met je kon doen wat me goed leek?'

Ik weet niet of het zijn oom was, waarschijnlijk niet, maar ik wist wel dat er geen uitweg was uit deze situatie. En ik had niets meer te zeggen.

De Hond gaf een bevel: 'Alkhrbaa'a.'*

En ging toen weg.

Zijn mannen lieten me languit op een matras liggen en maakten elektrische draden vast aan mijn tenen. Tegenover mij zat de chef van de politiehondenschool. Ik keek naar de

* Elektriciteit

machine, die veel weg had van zo'n ouderwetse plattelands-
telefoon met een slinger, maar dan groter. In feite was het een
generator.

De pijn die dit apparaat opwekt zorgt voor verlammingen.
Als er een fysiek gevoel bestaat dat overeenkomt met waanzin, dan is dit het. Je kunt niet in jezelf kruipen om de pijn te
stoppen. Geen enkele lichaamscel ontkomt aan de pijn.

Eén draai aan de slinger bezorgt je krampen, gaat het sneller
dan raak je in een afgrijselijke neerwaartse spiraal. Het ergste
is dat je niet buiten bewustzijn kunt raken; de dosis is heel
nauwkeurig berekend, precies wat nodig is om de dood te voelen aankomen zonder dat je erin kunt wegduiken om te ontsnappen.

'De aids, het kinderziekenhuis, vertel! Ashraf. Hup, voor de
draad ermee!'

En de slinger draait opnieuw.

Boven mijn hoofd zie ik drie mannen. Ze praten tegen elkaar
in een taal die geen Arabisch is.

Ik wist niet of ik er werkelijk was of dat ik uit mijn lichaam
was getreden. Ik dacht wel dat ik er was, want ik had pijn.

De Hond hield een bandrecordertje bij mijn oor zodat ik een
vrouwenstem in het Bulgaars kon horen zeggen: 'Ja, ze heeft
ons de flesjes met plasma gegeven. Wij haalden er wat uit en
injecteerden dit bij de kinderen.'

Een andere stem, ook in het Bulgaars: 'Zij, Kristiana, gaf ons
het geld en het plasma. Wij gaven injecties aan de kinderen.'

Ik ga dood, het doet pijn.

'Je weet het wel.'

'Ik weet het niet.'

'Je weet het wel.'

Nasya werd binnengebracht. Ik lag nog steeds op de matras
en staarde voor me uit. Ze boog zich over me heen.

'Kristiana, alsjeblieft, zeg ze alles. Zeg de waarheid.' Na haar kwam Valentina en de Hond vroeg haar: 'Is Kristiana de leidster?'

'Ja.'

Op dat moment werd mijn verzet gebroken. Ik had drie getuigen tegen me: Ashraf, Valentina en Nasya. Langer verzet bieden was zinloos. Nasya was een meisje dat ik niet kende. Een geblondeerde vrouw die ik had gezien in de bus die ons op die vervloekte negende februari meenam. Toen ze haar de eerste avond hadden geroepen, dacht ik dat ze uit Oekraïne of Polen afkomstig was. Valentina, het Kleintje, was ook verpleegster in het kinderziekenhuis. Niets verbond me met hen, zelfs geen foto. Ze stopten met de elektrische schokken.

Twee uur later begonnen ze weer. Ze herhaalden steeds hetzelfde en ik antwoordde steeds hetzelfde. Bij de tweede en derde draai aan het apparaat herhaalde ik nog steeds hetzelfde.

Ik dacht vol te kunnen houden. Ze sleepten me naar het bureau van de chef van de hondenschool, met hun machine.

Daar had ik publiek, de Generaal en zijn trouwste adjudanten, en een ijzeren bed met kapotte veren. Ze bonden me als een hond met leren riemen vast aan de spijlen van het bed. Deze keer draaide de Chemicus aan de slinger en vroeg: 'Wie zit er achter de samenzwering?'

'Ik weet het niet.'

Ik kronkelde als een worm, je rook de lucht van geschroeid vlees.

'Wat is jouw rol hierin?'

Stilte. Ik kon niet meer. Zelfs mijn geest was verbrand. Ik wilde dat ze stopten, deze krampen waren erger dan de dood. Onmogelijk om te huilen of te smeken, ik bestond alleen nog maar uit angst en instinctieve reflexen. Om te huilen moet je kunnen denken. Ik had geen hersens meer. Op dat moment begreep ik dat je werkelijk kon klappertanden van angst en dat het geen metafoor was.

Ik begon over mijn hele lichaam te beven. Het was onbedwingbaar, ik kon geen verzet meer bieden of het onder controle houden.

Ze hadden me uitgewist. Ik was er niet meer. Ik hoorde mezelf schreeuwen alsof mijn stem er met mij vandoor ging: 'Ik ben schuldig! Ik heb gezorgd voor de aids!' Ze stopten met de schokken. Mijn lichaam trilde nog.

'Waar kwam die vandaan?'

'Uit Bulgarije.'

'Hoe dan?'

Ik wist niet meer wat ik moest zeggen, ik dacht dat ze domweg een bekentenis wilden, maar het ergste moest nog komen omdat ze in feite details wilden horen.

'Wie zit hierachter? Wie zijn de anderen? Waar hebben jullie elkaar leren kennen? Wat was het plan? Hoe hebben ze contact met je opgenomen?'

De angst voor de elektrische schokken stimuleerde mijn verbeeldingskracht, en daaruit zijn eerst een ongeloofwaardig scenario en vervolgens verzonnen personages ontstaan.

'Was Terry Keen je chef?'

Terry was een Engelse collega van Zdravko, hij stond op mijn foto's.

'Nee.' Elektrische schok.

'Wie dan?'

'Jimmy.'

Het apparaat stopt.

'Schrijf op!'

Ik kon het niet, ik beefde te veel. Ik heb meer dingen verzonnen om tijd te winnen, ik moest de antwoorden geven die ze wilden horen.

'Jimmy, dat is John.'

'Wie is dat?'

'Een Engelsman.'

'Hoe heeft hij je gevonden?'

'Hij belde naar het ziekenhuis en zei dat hij me wilde spreken, en dat het belangrijk was. Ik heb hem bij mij thuis uitgenodigd. Hij is gekomen.'

Ik heb John verzonnen omdat ze vragen stelden over Terry. Ik had het verschrikkelijk gevonden een vriend in dit scenario te betrekken, maar ik moest hem beschrijven: 'Lang... donkerblond haar... blauwe ogen... geen baard... elegant.'

Deze man bestond niet. Ieder detail van het uiterlijk van mijn Engelsman ontstond na een draai aan het apparaat.

Weer een draai: 'John is bij me thuis geweest en bood me twintigduizend dollar, ik heb het bod aangenomen. Ik heb duizend dollar per persoon gegeven aan de andere verpleegsters, en vijfduizend dollar aan Ashraf.'

Ashraf had verzonnen dat ik hem had gechanteerd met een compromitterende foto waarop hij de liefde bedreef met een vrouwelijke arts uit Bulgarije. Soms verhoorden ze ons tegelijkertijd, ze verplaatsten de machine van de ene naar de andere ruimte, haalden verzonnen inlichtingen binnen bij een van de twee en gingen dan naar de ander om details erover te horen. Ik moest het scenario van Ashraf aanhouden en hij het mijne.

Op een dag hebben ze ons samen gemarteld terwijl we als in doodskisten languit naast elkaar lagen, met de bedden tegen elkaar. Ashraf was gekleed in een lang, smerig Arabisch gewaad dat ze omhooggeschoven hadden tot aan zijn middel. Eronder was hij naakt, de elektriciteitsdraad was om zijn penis gebonden. Ik weet niet of hij zich vernederd voelde. Toen ze mij uitkleedden voelde ik geen vernedering, ik was als een zombie, ik wist niet meer dat ik een vrouw was. Geen lijf meer, geen schaamte, ik was volledig aseksueel geworden. Hij was er wellicht net zo aan toe.

Samen huilden en schreeuwden we. Een tweestemmig hysterisch lied dat was gecomponeerd door de elektrische schokken en dat zich vermengde met de woorden die ze verwachtten. Hij brulde, ik brulde. Hij zei dat ik hem geld had gegeven, ik beaamde dat.

Ik heb zelfs aan de Hond gevraagd: 'Hoeveel heb ik hem gegeven?'

Hij antwoordde: 'Vijfduizend dollar.'

'Drieduizend dollar.'

En de Hond lachte. De waanzin bereikte een hoogtepunt tijdens de folteringen met de machine. Alles speelde mee. Het decor: het bureau van de chef van de hondenschool. De accessoires: de plasmaflesjes die om ons heen verspreid stonden. Een hand op de slinger van het apparaat.

'John had een fles whisky bij zich.'

Hoe ongeloofwaardiger het was, des te eerder werd het aanvaard. Ze wilden dat ik amoreel was, ze wilden dat ik van alles en nog wat had gedaan.

'John zei me dat als ik de plasma-injecties niet wilde geven en geen groep zou opzetten om de kinderen te besmetten, mijn familie in levensgevaar zou zijn.'

Het idee was me ingegeven door de Generaal. Hij had gedreigd dat als ik niet zou bekennen, mijn zoon gekidnapt zou worden en net zo zou worden gemarteld als ik, waarbij ik zou moeten toekijken. De tolk heeft ook gezegd dat mijn man twee gebroken armen had opgelopen en dat ik dat maar goed moest onthouden.

Er is heel wat elektriciteit door mijn lijf gegaan voordat ik het aantal besmette kinderen noemde dat ze wilden horen.

Aan deze monsterlijke oefening nam een Libische arts deel, een mooie, jonge man die zich al had uitgeleefd op mijn voetzolen. Toen had hij me heel kalm van advies gediend.

'Zeg alles wat je weet.'

'Ik weet niets, ik heb daar nooit gewerkt. Kijk eens naar mijn voeten, zijn dat uw methoden?'

'Soms wel, om de waarheid boven tafel te krijgen.'

De mooie Libische arts observeerde me terwijl de anderen van me wilden weten hoeveel kinderen er besmet waren. Elektrische schok: driehonderd. Elektrische schok: vierhonderd. Elektrische schok: duizend.

Plotseling zei hij: 'Houd maar op, ze weet het niet.'

Net zo hadden ze aan het Kleintje gevraagd aan wie zij het aidsvirus had toegediend. Elektrische schok.

'Wie was het eerste kind?'

'Een meisje.' Elektrische schok: 'Een jongen.' Elektrische schok: 'Een meisje.'

Ze wisten zelf niet waarnaar ze op zoek waren. In de loop der jaren is het duidelijk geworden dat ze gestopt zijn bij het getal 430, het aantal kinderen dat wij besloten zouden hebben te besmetten. Ze zijn er lang naar op zoek geweest.

Maar de ouders van de zieke kinderen geloofden onze folteraars. Aan het begin van het proces werden in de aanklacht 393 namen genoemd. Toen de zaak in Benghazi werd behandeld, was het aantal kinderen opgelopen tot 426. Jaren later stonden er 429 namen op de lijst met uit te keren schadevergoedingen.

Tot aan het eind toe is nummer 430 nooit verschenen. En er bleken op die lijst tientallen namen dubbel voor te komen, evenals namen van kinderen die nooit in dat ziekenhuis waren geweest.

Dat was echter allemaal niet van belang. Wij moesten boeten voor andermans fouten. Uiteindelijk heeft de wereld zonder morren aan vierhonderdzestig gezinnen een miljoen euro vergoeding betaald.

Elektrische schokken, krampen, spasmen, alsof iemand met een lepeltje in mijn brein zit te wroeten. Ik ben leeg. Mijn weerstand is weg.

'John zei me dat het wetenschappelijke experimenten betrof. Hij heeft het niet over aids gehad.'

Ik dacht eraan experimenten te noemen omdat ik pas een boek had gelezen over een farmaceutisch bedrijf. Ik neem trouwens alles aan. Ik ben het met alles eens. Ik ken Ashraf omdat ik geprobeerd heb hem te chanteren. Ja, de lingerie is van mij. Ja, ik heb toegezegd een groep op te zetten. Ja. John heeft me geld gegeven.

Ik smeek om de machine uit te zetten en me domweg te vertellen wat ze willen horen, ik ben bereid om het over te nemen. Nee, ik moet zelf alles vertellen.

Dus combineer ik zaken uit het boek dat ik heb gelezen met feiten die zijzelf naar voren brengen. Ze hadden drie gemartelde getuigen tegen me. Ik wist dat wat ik ging zeggen van geen enkel belang was. Ik heb niet vol kunnen houden. Het enige wat mij interesseerde was dat de elektrische schokken ophielden.

Op een gegeven moment zag ik bijna kans het bed waaraan ik was vastgemaakt om te gooien om aan de schokken te ontsnappen.

Hoe had ik Nasya leren kennen? Ik heb gezegd dat we elkaar in december 1997 hebben ontmoet. Daarin vergiste ik me. Ik kon niet weten dat ze pas drie maanden na het moment waarop we elkaar volgens mijn zeggen hadden leren kennen in Libië was aangekomen. Terwijl ik lag te verzinnen, verzonnen

Ashraf en Nasya ook. We vertelden verschillende dingen, maar dat weerhield de politiemensen er niet van ze te combineren: John had mij aangezocht, ik had Ashraf erbij betrokken en hij op zijn beurt weer de verpleegsters.

Ze hebben ons verscheidene keren met Ashraf samengebracht. In die tijd was hij volledig wanhopig en functioneerde op de automatische piloot. Hij heeft toen een nieuw personage bedacht.

'Er is een Egyptenaar in de groep.'

Men vroeg me: 'Wie is dat?'

'Dat is Adel, hij werkte samen met John. Hij controleerde de flesjes.'

Ashraf had het over 28 flesjes gehad. In mijn huis. Ze hadden er maar vijf gevonden. Elektrische schok.

'Waar zijn de 23 andere?'

'Ik weet het niet.' Elektrische schok.

'Ik heb de andere weggegeven.'

'Waar heb je ze de flesjes gegeven?'

'Ik weet het niet.'

Elektrische schok. De tolk zegt me voor: 'In het café van Hotel Tibesti, in krantenpapier gerold.'

Ik was zo blij dat ik het goede antwoord wist dat ik het als een brave leerling heb opgelepeld. Ik heb mezelf een paar slingers aan het apparaat bespaard: een zegen.

'Waar is die tienduizend dollar gebleven?'

Zdravko en ik hadden bij een Maltese bank een rekening geopend waarop het salaris van mijn man kon worden gestort en ik geld naar het buitenland kon overmaken. Sinds onze aankomst in Libië hadden we ongeveer vijfenveertigduizend dollar aan spaargeld opgebouwd, van transparante herkomst en vermeld in onze arbeidscontracten.

'Waarom in Malta, als de overboekingen via Londen lopen?'

Dat was simpel. Het is een Engelse bank en het bedrijf waar Zdravko werkt heeft daar zijn rekeningen.

Ze wilden vanaf het begin het Westen bij de zaak betrekken. Ze vroegen: 'Waarom, waarom, waarom? Waar is die tienduizend dollar?' Ze zagen best in dat hun berekening niet klopte. Op onze rekening was geen tienduizend dollar van John te vinden. Alleen maar officiële stortingen. Ik had geen keus: 'Ik heb het geld uitgegeven.'

De tolk wilde grappig zijn: 'Ja, ja, geld moet rollen...'

De dagen begonnen weer op elkaar te lijken, ik weet zelfs niet meer hoe vaak ik vastgebonden op dat bed heb gelegen. Zeven verschillende mensen hebben me achtereenvolgens gemarteld. Ze deden het spelletje *on* en *off*. Degene die zich het meest liet gelden was de Chemicus. Hij verzon de scenario's. Hij was in staat zich te gedragen als de goede en de slechte politieman, probeerde me om te kopen. Daarna martelde hij me. Hij beheerste de klassieke martelmethoden tot in de puntjes. Mijn tenen werden verbrand met kabels die hij steeds maar weer op dezelfde plek hield. Ik had last van zenuwtrekkingen, ik trok met mijn gezicht als een waanzinnige. Op dat moment beval de Hond: 'Pas op dat ze niet doordraait.'

De machine kon echt alles. Maar de Chemicus was ook zeer consciëntieus, ik heb jaren later pas begrepen waarom. Hij was kwetsbaar. Op het moment dat wij werden opgepakt was hij het hoofd van het departement Farmaceutische Voorzieningen van het ministerie van Volksgezondheid. De import van plasma, bloedproducten en vaccins liep allemaal via hem. Er werd gezegd dat een deel van de producten die in het begin van de jaren negentig in Oostenrijk besmet zijn geraakt naar Libië is gegaan. Destijds had ik geen idee van die zaken, maar ik had wel begrepen dat hij me wilde laten doorgaan voor een

handelaar in besmet plasma die de ondergang van Jamahiriya*
wilde bewerkstelligen in opdracht van de vijand, de Mossad.

Toen de Chemicus alles uit me had gekregen wat hij wilde
horen, liep hij de gang op, draaide zich breed grijnzend om,
keek me aan en zei: 'Magic Machine!'

---

* De volledige naam van Libië is Groot Libisch-Arabische Socialistische
Volks-Jamahiriya.

7

NIET ONDER WOORDEN TE BRENGEN

Om me van de elektriciteit te laten bekomen joegen ze me over een terrein met doornstruiken. Van mijn huid was niets meer over. Ze moesten me slepen, want ik kon niet meer lopen. De doorns drongen diep door in mijn vlees. De Chemicus begon achter mijn rug te schieten: hij richtte op mijn benen om me nog harder te laten rennen. Daarna maakten ze de taak minder zwaar door me op handen en voeten door het grind te laten kruipen.

Dat was eenvoudiger, want ik voelde niets. Lichamelijk lijden kent een aantal stadia, ik denk dat ik ze allemaal heb doorlopen. Soms deed alles pijn: mijn benen, mijn spieren verlamd, mijn huid afgerukt, mijn hersens tot moes, mijn hele lijf stijf van de kramp. Als ik het probeer te vertellen of op te schrijven, realiseer ik me dat het niet onder woorden te brengen is. Er zijn geen woorden om te beschrijven wat wij hebben ondergaan.

Op een dag constateerde ik toen ik van het martelbed kwam dat ik haast geen haar meer op mijn hoofd had. De Generaal had er de laatste elektrode aan vastgemaakt. Ik heb nooit begrepen wanneer precies mijn haar was uitgevallen. Terwijl ik lag te kronkelen van de pijn, misschien. Haast buiten bewustzijn van alle elektrische schokken gilde ik: 'O Maika.' wat

Bulgaars is voor 'O, mama'. Maar de Chemicus dacht dat ik in het Engels schreeuwde: 'Oh, my God!' Dus krijste hij met een hysterische grijns: 'Waar is hij dan, die God van jou? Hij is er niet!' Ik dacht op dat moment zelf ook dat hij er niet was. En hij is ook heel lang weggebleven.

Een andere keer deden ze me een zuurstofkap voor toen ik geblinddoekt op het bed lag, en dienden me een intraveneuze injectie toe. De Hond begreep dat ik niet wist wat er met me gebeurde en hij beet me toe: 'Nu gaan we jou met aids besmetten.'

Ik geloofde het niet, en het liet me trouwens volledig koud. Alleen voor de machine was ik bang. Ik sidderde bij voorbaat en verzette me op dat afgrijselijke bed.

Een mannenstem zei: 'Rustig maar, je krijgt geen elektrische schokken.'

'Wie bent u?'

'Mister Z.'

Later heb ik gehoord dat de mysterieuze Mister Z een anesthesist was, gerekruteerd door de veiligheidsdienst. Ik herinner me slechts een deel van zijn naam, Abdul en nog wat...

Ik voelde dat er een stof mijn aderen binnenstroomde. En de stem van de Hond drong vaag tot me door: 'Zeg me hoeveel plasmaflesjes bij jou thuis het aidsvirus bevatten!'

De stof begon te werken, ik voelde me rustig, licht, haast euforisch. Ik had zin om te praten.

'Ik heb niets in die flesjes gedaan. Misschien is er iemand bij mij thuis geweest die er iets in heeft gedaan.'

Daarna herinner ik me niets meer. De volgende ochtend werd ik wakker op de matras, daar waar ik altijd sliep, op de administratie van de politiehondenschool.

Ze hebben dit 'waarheidsserum' nog driemaal ingespoten en vroegen me steeds hetzelfde. Voor mij waren de verhoren met die injectie een heuse verademing. Een onverhoopte ontspanning. Daarom heeft het ook niet lang geduurd. Het leverde hun trouwens ook helemaal niets op, want ik moet hetzelfde hebben geantwoord, met of zonder serum.

Op een keer, opnieuw op het kantoor van de politiehondenschool, had ik de twee onderzoeksleiders tegenover me, de Generaal en de Hond. Verder niemand.

'Kleed je uit!'

Als in een nachtmerrie heb ik machinaal mijn lompen laten zakken.

De Hond hield een soort stok in zijn hand waarmee stroomstootjes konden worden gegeven. Pervers als hij was genoot hij er zichtbaar van dit wapen te kunnen gebruiken. Eerst ging hij ermee langs mijn tepels. De elektrische stoot die een dergelijk apparaat voortbrengt is wel degelijk pijnlijk maar niet te vergelijken met de elektroden van de 'Magic Machine'. Genoeg om een reactie op te roepen, maar ik was gewend geraakt aan zoveel erger... Hij wilde me vernederen. De stok gleed over mijn lichaam.

Hij stopte hem tussen mijn benen. Ik voelde niets. Mijn lichaam was ongevoelig.

Zijn perverse handelingen hadden geen invloed meer, ik was buiten bereik, ver weg.

Als een vogelverschrikker stond ik naakt midden in de ruimte. De Hond schoof met zijn stok tussen mijn dijen heen en weer. Hij stopte er weer mee.

Het leek de andere man niets te doen, hij keek alleen maar. Het was een treurige, zinloze onderneming.

De Hond had met zijn stok van kunsthars gedaan wat hij niet op een andere manier kon bewerkstelligen. Niets raakte me meer. Ik was gevlucht, ver weg van hen.

De afgelopen dagen wilden ze weer dat ik zei wat ik had geweigerd te zeggen. Ik deed het niet.

'Waar zijn John en Adel?'

Ik zweeg. Niets kon mijn stilzwijgen doorbreken. Mijn kaken bleven op elkaar. Ik was afgevallen, ik at niet meer. Ik had geen nachtmerries meer, huilde niet meer, door alle verschrikkingen was ik als van steen geworden.

Ik had een uitweg gevonden. Op een wandrekje in het bureau van de chef stond, vrijwel binnen handbereik, een flesje met een doodshoofd erop. Een middel tegen hondenvlooien. Ik had het zien staan toen zij steeds maar weer hun besmettingsverhaal afdraaiden.

De aanblik van dat flesje was voor mij een opluchting; ik kon het spul op ieder moment innemen als ze weer met hun elektrische schokken zouden beginnen, en een eind aan dit alles maken. Nu had ik de keuze tussen de elektrische schokken, bekennen of de dood. En ik voelde me opgelucht. Ik wist dat ze me niet meer zouden krijgen.

Ik had geen enkel besef meer van tijd. Was het april of mei? Op de binnenplaats van de school verschenen twee vrouwelijke politieagenten in burger. Ik was bang dat de Generaal had besloten door te gaan met het bewerken van mijn intieme delen. Ik wist dat hij het niet zelf zou doen, om zijn islamitische wetten niet te overtreden, maar wellicht zou hij gebruikmaken van de handen van een vrouw. Maar dat was het niet. Ze lieten me in een politiewagen stappen en geboden me op de achterbank te gaan liggen naast een van de politievrouwen.

Het werd een lange rit, begeleid door een aantal andere auto's. Naar het kinderziekenhuis van Benghazi. Daar werd ik opgesloten in een kamer, mijn nieuwe cel: een ruimte die zo te zien kort daarvoor was opgeknapt. Er was een badkamer, een wc en een bed. Een hele luxe.

Door het raam kon ik de bomen op de binnenplaats zien. De

blaadjes leken op mannetjes die aan galgen hingen. Honderden gehangenen...

Uit een kamer ernaast klonk constant lawaai uit een radio. Ik was de enige die het hoorde.

De volgende dag kwam de Hond binnen met een tas vol documenten: paspoorten en foto's. Hij had foto's verzameld van alle buitenlanders die in de regio werkzaam waren en spreidde ze op de tafel voor me uit.

'Wie is John?'

Hoewel ik al wist wat ik zou antwoorden, heb ik de gezichten toch bekeken: 'Ik weet het niet. Hij is er niet bij.'

Vervolgens liet hij me Arabische mensen zien.

'Wie is Adel?'

Mijn antwoord week niet af van het voorafgaande.

De Hond zei met sissende stem: 'Dacht ik het niet!'

Hij nam de foto's weer mee, en voor hij de deur achter zich dichtsloeg beet hij me toe: 'Denk eraan, de elektriciteitsmachine staat in de auto.'

De keer erna kwam hij samen met een officier van justitie uit Benghazi, een jonge, sympathieke man van een jaar of veertig. Hij maakte een integere indruk.

De Hond gaf me een teken te gaan vertellen en ik begon met mijn verhaal.

Ik vertelde alles wat ik uit mijn hoofd had geleerd tijdens de verhoren met de elektrische schokken. Monotoon, zonder enig gevoel, ontzield heb ik mijn niet-bestaande zonden opgelepeld. De officier van justitie luisterde aandachtig, zonder te reageren.

Toen ik klaar was uitte hij wat bedenkingen: 'Wat je nu vertelt is wellicht niet helemaal zoals het is gegaan. De komende dagen zullen we hier onder vier ogen verder over praten.'

Ik weet niet hoe ze erin zijn geslaagd zijn twijfels weg te nemen – misschien hebben ze hem domweg afgeraden zijn neus verder in andermans zaken te steken – maar het beloofde gesprek heeft nooit plaatsgehad.

Ik moest tien dagen lang in de kamer blijven. Een paar keer staken verschillende mensen hun hoofd om de hoek van de deur om een blik op me te werpen. Ik kende hen niet. Er werd me eten gebracht van Hotel Tibesti. Maar ik at niet, hoewel ik dat ik minstens tien kilo was afgevallen, en zei geen woord. Dat hield ik een hele tijd vol. Ik zat daar maar naar één punt te staren, voelde niets, zag niets, op de blaadjes na die op opgehangen mannetjes leken.

In de auto terug naar Tripoli, waar mijn smerige cel, mijn weerzinwekkende matras en andere ellende weer wachtten, sloot ik mijn ogen en bad: Mijn God, zorg dat ik doodga. Laat ons een auto-ongeluk krijgen. Alstublieft. Zorg dat de anderen het overleven maar bespaar mij dit alles.

Ik zat in de auto met twee jonge politievrouwen, de bestuurder en de kolonel, de tweede man van het bureau voor strafrechtelijk onderzoek. Achter ons reed de privé-auto van de Hond, ook met wat anderen erbij. Op negentig kilometer van Benghazi kwam mijn wens uit. De auto van de Hond raakte plotseling van de weg, vloog de rijbaan over en sloeg in een akker over de kop. Dank u, God.

Alle inzittenden overleefden het. Maar terwijl ze eruit werden gehaald en er een menigte om de auto kwam staan, bleef ik als verlamd zitten bij de geweren die de mannen naast mij op de bank hadden achtergelaten. Het kwam geen moment bij me op er iets mee te doen. Ik voelde een vreemde gemoedsrust en angst tegelijk.

Was er ergens diep in mij nog wilskracht te vinden? Was deze auto van de weg af geraakt door de kracht van mijn gedachten?

'Rotwijf!'

Ik begreep dat iemand het tegen mij had. Ik draaide me om en zag het woeste gezicht van de chauffeur. Hij had het overleefd. Ik weet niet hoe hij heeft kunnen aanvoelen dat hij ternauwernood aan de dood was ontsnapt als gevolg van mijn gebed.

Ik heb hem aangekeken met een koude, uitdrukkingsloze blik.

We reden verder en de daaropvolgende duizend kilometer voelde ik me beter, gesterkt. Simpelweg dankzij dit moment van goddelijke gerechtigheid.

Ik moest aan mijn grootmoeder denken. Er werd gezegd dat die als het haar uitkwam heksenkunsten kon vertonen. Ze heeft in haar leven een paar vervloekingen uitgesproken.

Mijn grootmoeder Anna woonde bij ons in. Wanneer ik de ruzies van mijn ouders zat was, vluchtte ik naar haar, in de kamer naast ons. Ik weet niet of ze van me hield, ze was niet erg aanhankelijk. Grootmoeder Anna was als ongeletterd meisje in de jaren twintig naar de hoofdstad getrokken, met als enig streven dienstbode te worden bij rijke mensen. Ze was toen zestien jaar oud en heeft nooit verteld hoe ze erin is geslaagd in de stad te overleven. Ik weet dat ze op haar dertigste bij een Rus woonde die uit Rusland was gevlucht. Hij heeft haar opgevoed maar was niet haar vader. De Rus dronk en sloeg haar. Ze heeft hem twintig jaar lang verdragen tot de dag dat ze hem vervloekte: 'Moge de tram je vermorzelen.'

Dat was in juni 1959. De volgende dag werd Sofia opgeschrikt door een groot drama: bij een spoorovergang ging de slagboom niet op tijd dicht en de passerende trein boorde zich in een tram. Zestig mensen kwamen om. Mijn grootmoeder, de trambestuurder en nog een vrouw waren de enige overlevenden. De Rus werd geïdentificeerd op grond van zijn laarzen, hij was onherkenbaar verminkt...

Ik weet niet of het nu God of de duivel was die grootmoeder Anna had verhoord, maar het waren beslist hogere krachten die ervoor zorgden dat haar vloeken uitkwamen.

De buurman had een gat gegraven voor zijn afval en de stank daarvan drong door tot de kamer van mijn grootmoeder. Ze schold hem continu de huid vol maar hij weigerde het vuil af te dekken. Buiten zichzelf gooide de buurman op een dag een kluit aarde naar haar zodat ze haar mond zou houden. Daarop schreeuwde ze: 'Ik hoop dat je zal kronkelen van de pijn!'

De volgende dag kreeg hij een hartaanval. Het gat met het afval is gebleven, maar de heks was voldaan.

Mijn ongelukkige, boosaardige grootmoeder Anna was strijdlustig. Ik was niet bang voor haar. Ze dacht altijd dat ze zou omkomen bij een verkeersongeluk maar overleefde alles. Ik heb haar nog gezien tijdens mijn laatste verlofperiode. Nog voordat ze me begroette zei ze al: 'Geef me geld zodat ik de elektriciteit kan betalen!' Ik heb het gegeven. 'En nou moet je maar eens bier voor me kopen!' Ik heb het gekocht. Mijn grootmoeder had me toen twee jaar niet gezien en blijkbaar had ze me niet gemist. Een week later is ze overleden. Alsof ze op me had gewacht. Ze is op haar eigen manier gegaan, in haar bed met een gedoofde peuk tussen haar vergeelde vingers.

Tijdens de martelingen sloegen de Hond en de Generaal geen enkel gebed over. Ze onderbraken hun vuile werk om hun God op hypocriete manier respect te betuigen. Voorlopig was Hij de sterkste.

In die periode was er niet veel nodig om mij bang te maken. Ik hoefde de machine maar te zien... Zelfs de herinnering eraan verlamde me al. Toen ze me vroegen om mijn bekentenissen in het Arabisch te ondertekenen, hadden ze de draden aan mijn compleet verminkte tenen vastgemaakt. Ze duwden

Ashraf het vertrek in. Hij keek me niet aan en verklaarde: 'Ze heeft me het Bulgaars staatsburgerschap en vijfhonderdduizend dollar beloofd en legde me uit dat de operatie was opgezet om de relaties van Libië met zijn buurlanden schade toe te brengen. De Mossad zit overal achter.'

Dat deel van het verhaal hoorde ik toen voor het eerst. Ik onthield het goed, want ik wist dat ik het zou moeten herhalen.

Ze dicteerden me wat ik moest opschrijven: 'Ik ben verantwoordelijk voor de aidsbesmetting, ik heb de flesjes aan de verpleegsters gegeven.'

Maar ik heb eraan toegevoegd: ik ben geen agent van de Mossad en ik heb niet de intentie om de relaties van Libië met welk land dan ook schade toe te brengen.

Ik weet niet waarom ik alles voor de zoveelste keer moest herhalen. Tegen het einde heb ik mijn laatste restje trots getoond: ik heb me verzet, ik wilde niet ondertekenen. De dikke griffier Oussama ging toen een paar stappen achteruit, nam een aanloop en gaf me een enorme stomp in mijn nek. Nu was ik weer bereid om alles te tekenen. Ik was mezelf niet meer. Op dat moment hoefden ze alleen maar te doen of ze de elektriciteitsdraden vastmaakten of ik begon al te beven. Ik vond alles goed. Ik was vergeten wat hoop betekende. Ik wilde slapen en nooit meer wakker worden.

De volgende keer dat de Hond kwam heb ik hem beloofd dat ik twee dagen erna de waarheid zou vertellen. Dat intrigeerde hem.

Toen de tolk eindelijk was gearriveerd heb ik al mijn moed verzameld en ben van wal gestoken: 'Niets van wat u me vraagt te zeggen is de waarheid. Ik heb het gezegd omdat u me hebt gemarteld met elektrische schokken.'

'Het spijt me vreselijk maar alle documenten zijn al opgestuurd. Je hebt verloren!'

Hij was zo ingenomen met zichzelf. Maar de ironie van dit alles bracht me niet van mijn stuk. Voor mijn gevoel had ik het belangrijkste gezegd. Ik heb ontkend. Het interesseerde me geen moer of mijn ontkenning juridische waarde had. Als ik dit niet had gedaan, had ik het psychisch niet kunnen overleven. Ik wilde me zuiveren. Ze konden me niets meer maken, behalve me doden. Maar ik kon niet leven zonder geweten. Ik wilde weer met opgeheven hoofd kunnen lopen.

Ik bleef dag en nacht vastgebonden. Soms hing ik wel vier dagen zonder dat ik de vloer kon raken. Ik dacht dat mijn lichaam van al die trekkrachten zou breken of scheuren. Ik schreeuwde, ze haalden me naar beneden, ze hesen me weer op; uren, eeuwen hing ik daar.

Ieder van ons heeft haar eigen hel beleefd. De tien dagen die ik met de Hond in Benghazi heb doorgebracht was voor Nasya een adempauze. Zij had die tijd rust: geen verhoren, geen elektrische schokken, geen wervelwind van namen, onbekende gezichten, geen samenzwering, aids of Mossad. Mijn terugkomst betekende voor haar de ondergang. Dat drong de volgende ochtend goed tot me door. Een abnormale drukte in de gang had mijn zintuigen gescherpt. Ik had een schreeuw gehoord, een van de politiemensen gilde. Ik mocht uit mijn cel onder het voorwendsel dat ik naar de wc moest en ik zag wat deze paniek had veroorzaakt: de sloffen van Nasya zaten onder het bloed. De vloer van haar cel was rood. Haar matras vol bloed. Nasya was er niet meer.

Er kwamen officieren die snel een uitweg uit de situatie zochten. Voor hen was het een onverwachte miskleun. Ik zag dat ze een rapport opstelden waarin ze schreven dat ik 's nachts uit mijn cel was geweest om Nasya ertoe aan te zetten haar polsen door te snijden Ze konden niet vermoeden dat Nasya was ingestort toen ze de stem van de Hond weer had gehoord. Zijn terugkeer, na tien dagen rust, hield voor haar het begin in van nieuwe elektrische schokken. Dat kon ze niet verdragen. Ze vonden haar die ochtend, buiten bewustzijn. Ze had haar polsen doorgesneden met een stuk glas.

Ze hebben haar gered. Toen ze in het ziekenhuis bij bewustzijn kwam, rende ze met haar infusen door de gang en riep: 'Zijn hier Bulgaren?'

Daarop verschenen een paar Bulgaarse verpleegsters. Nasya slaagde erin te zeggen: 'Ik heet Nasya en kom uit Sliven. Wij zijn met zijn vijven, vijf Bulgaarse verpleegsters zitten vast bij de politie, we worden geslagen en gemarteld met elektrische schokken.'

Ze was onder een valse naam ingeschreven, maar toen haar aderen werden gehecht heeft ze nog kunnen zeggen: 'Wij zijn met zijn vijven. We worden gemarteld. Er zijn honden. We worden ervan beschuldigd een besmetting met aids te hebben veroorzaakt.'

De dag erna kwam de dikke griffier Oussama aan haar bed. Hij sloeg haar en zei: 'Wat wil je eigenlijk?'

'Een ambassadeur.'

'Als wij met jou klaar zijn, dan zul je nog eens een ambassadeur te zien krijgen.'

Een van de verpleegkundigen had toch de ambassade geïnformeerd. Ze vertelde wat ze gehoord had en gaf een beschrijving van Nasya. Ze kreeg als antwoord: 'Zeg maar niets, houd je mond dicht, anders kan jou hetzelfde overkomen.'

Op 29 april ontmoette ik voor de tweede maal een Bulgaar: Roman Petrov. Hij was het waarnemend hoofd van de ambassade in Tripoli. Hij was jong, had grijzend haar, niet erg lang, met sprekende ogen achter zijn bril. Ik kon niet geloven dat deze man een echte Bulgaarse diplomaat was. Ik dacht dat het een man van de Libiërs was die onze taal sprak. Ik was zo bang dat ik me van zijn eerste bezoek helemaal niets herinnerde.

In de loop der jaren heb ik nog tijd genoeg gekregen om hem te leren kennen. Ik merkte dat hij intelligent was. De manier waarop hij de zaken analyseerde en verklaarde, maakte dat je alles van hem aannam.

Die dag was het verboden om met hem te praten. Onze mouwen waren tot over onze vingers getrokken om de sporen van de martelingen te verbergen. Roman Petrov zei: 'Ik hoop niet dat zal blijken dat jullie betrokken zijn bij deze vuile zaak.'

Hij wist dat Nasya haar polsen had doorgesneden. En in februari al had hij de andere Bulgaarse verpleegsters ontmoet, die na een week met ons opgesloten te hebben gezeten weer waren vrijgelaten. Ze hadden verteld over de afranselingen en de onmenselijke omstandigheden waaronder we werden vastgehouden.

Toen de Hond afscheid van hen nam, had hij tegen de verpleegkundige Tinka gezegd: 'Vergeet vooral niet dat u hier op bezoek bent geweest...'

In plaats van zich in de zaak te verdiepen, heeft Roman Petrov toen een zeer diplomatiek opgesteld rapport ondertekend, bestemd voor de Libische minister van Buitenlandse Zaken, waarin hij bedankte voor het feit dat hij ons had mogen bezoeken. Zonder een woord over het geweld of te vragen rekenschap af te leggen over de omstandigheden van onze arrestatie. Jaren later zal dit document het hoofdargument van de Libiërs zijn in het proces tegen ons. Wij brachten naar voren dat we geslagen en gemarteld waren en zij antwoordden: 'Uw diplomaat heeft u in die tijd ontmoet. Waarom heeft hij geen klacht ingediend?'

Op die vraag hadden wij geen antwoord.

In zijn officiële rapport voor Sofia had Petrov geschreven dat

we in goede psychische en lichamelijke conditie leken te verkeren. Bij het weggaan zei hij tegen Nasya: 'Je moet de groeten
van je broer hebben. Weet je, het leven is ons door God geschonken, je mag niet proberen het jezelf te ontnemen.'
Wij zwegen. Een van ons ontbrak. Valentina, het Kleintje,
was ergens anders op dat moment, verbonden met de elektriciteitsmachine of domweg niet toonbaar.

Petrov heeft ons dertig dinar gegeven. En de officiële bericht-
geving van het Bulgaarse persagentschap kwam op 30 april,
opnieuw in zulke diplomatieke termen dat het haast surrealistisch werd.

*... Tijdens de ontmoeting is vastgesteld dat ondanks de rela-
tief lange periode van detentie de lichamelijke conditie van
de Bulgaarse vrouwen goed is. Ze zeiden goed te eten te krijgen en hebben gevraagd of hun naasten in Bulgarije op de
hoogte zijn van de situatie. Petrov heeft voor al onze landgenoten geld en sigaretten meegebracht en heeft hun verzekerd
dat hij doorlopend contact had met hun familieleden in
Bulgarije. Het waarnemend hoofd van de ambassade van
Bulgarije in Tripoli heeft van de Libische staat de verzekering
gekregen dat alles in het werk zal worden gesteld om het onderzoek te versnellen en zo spoedig mogelijk een eind te maken aan deze situatie. Er is benadrukt dat de autoriteiten
deze ontmoeting hebben toegestaan ondanks de bestaande
belemmeringen in het kader van de Libische wetgeving, die
geen bezoek toestaat bij in hechtenis verblijvende personen
zolang het onderzoek nog niet is afgerond. Roman Petrov
heeft verklaard dat de minister van Buitenlandse Zaken en
de Bulgaarse ambassade in Tripoli permanent contact zullen
houden met de Libische instanties en de ontwikkelingen van
de zaak nauwgezet zullen volgen om de belangen te beharti-*

gen van zowel de zes gedetineerde Bulgaarse staatsburgers als de zeshonderd Bulgaren die in Libië verblijven. Op dit moment zijn onze landgenoten nog niet in staat van beschuldiging gesteld.

Enige dagen later bevond ik me tegenover een officier van justitie in een zittingzaal van de rechtbank. Het was een klein, rimpelig mannetje, hij leek wel een ouwe kobold. Ik kwam uit de hel, nachtenlang had ik stinkend naar brandlucht, pus en vuil opgesloten gezeten in een donkere cel. Ik herinnerde me geen ander leven dan dat. De tolk vertaalde de woorden van 'de Kobold': 'Jij hebt een groep samenzweerders gevormd die meer dan vierhonderd Libische kinderen heeft besmet.'

Hij las mijn bekentenissen door. Ik wist dat ik hier bij een instelling was die niet onder de politie viel en ik vond de kracht om te zeggen: 'Nee. Ik heb die dingen gezegd omdat ze me met elektrische schokken hebben gemarteld.'

Het was de eerste keer dat ik die afgedwongen bekentenissen kon verwerpen. Het was belangrijk voor me en eindelijk kreeg ik die gelegenheid. Maar het interesseerde de officier van justitie geen zier.

Hij pakte de bekentenissen van Ashraf en van Nasya erbij en vergeleek ze met een kwaad gezicht met de mijne: 'Je zult tekenen! Je moet tekenen, hier in mijn bijzijn!'

Ik was bang om deze Arabische tekst te moeten ondertekenen en hij begon zich op te winden: 'Ze gaan zich hier drie uur lang met je bezighouden en geloof me, dan zul je tekenen.'

Ik dacht weer aan de elektriciteitsmachine in de auto van de Hond, en ik kon niet meer. De tolk hield aan: 'Wat hier geschreven staat heb je werkelijk gezegd...' Dus heb ik maar getekend. En ik dacht dat in het document ook stond dat ik gemarteld was om me te laten bekennen en dat ik niet achter

deze bekentenissen stond. Nasya en Ashraf hebben niet ontkend. Ze hadden niet begrepen dat ze met een officier van justitie te maken hadden, de politiemensen hadden hen geestelijk volledig kapotgemaakt.

8

LEVEN IN DE HONDENSCHOOL

Tijdens het bezoek van onze diplomaat was ik maar in één ding geïnteresseerd: Zdravko. Hij zat te ver bij mij vandaan. We konden elkaar niet aankijken. Hij kon niet weten wat ik te verduren kreeg, en ik wist niets van de omstandigheden waaronder hij gevangenzat. Hij zag er niet goed uit, mijn arme man, maar hij was er nog. Ik dacht er niet eens bij na wat ík voor aanblik moest bieden.

Ik had mezelf al heel lang niet meer in een spiegel gezien, maar het uiterlijk van mijn man zei me genoeg. Verouderd, vermagerd, een baard, gebroken.

Hij vroeg op matte toon: 'Weten onze families waar we zijn?'
'Ja.'

Dat was het. Afgelopen. Dertig dinar, een paar sigaretten en iedereen ging weer terug naar zijn cel. Zdravko was er niet meer. Ik ben daar kapot van bezorgdheid om hem weer weggegaan. Hadden die monsters zijn ziel afgenomen? Was het gedaan met zijn glimlach?

De Generaal ontbood me onmiddellijk. Hij sloeg me zonder reden. Toch had ik tegen de diplomaat geen woord gezegd. Er vielen klappen en ik begon te schreeuwen. Zdravko was nog vlakbij, in de gang, dus hij moet het hebben gehoord. Waarschijnlijk was het allemaal voor hem bedoeld, maar hij was machteloos. Hij kon niets doen, kon me niet helpen. Voor de eerste keer sinds we elkaar kenden stonden we allebei machteloos.

Op dat moment had ik al geen eigen wil meer; ze hadden me onderworpen, vermorzeld. En in de auto die ons terugbracht naar onze cellen in de politiehondenschool werd me toegebeten: 'Je komt hier niet levend uit, en dat weet je!'

Mijn gebroken geest verwierp deze woorden niet. Ik geloofde ze.

Ik werd daarginds meteen met handboeien aan het raam vastgemaakt. Dagenlang moest ik zo doorbrengen. Van tijd tot tijd werd ik languit aan mijn armen aan een kast opgehangen met handboeien om. In een poging tot mededogen lieten ze me slapen op een matras, maar nog altijd met geboeide armen.

Ze hebben alles met me uitgehaald. Zelfs net gedaan of ze me ophingen. Ze trokken een kap over mijn hoofd en legden een strop om mijn nek. Ze hadden me levend nodig, maar dan wel gebroken.

Toen ik niet meer at kwam de Hond met de kleine machine. 'Weet je wat er met je gebeurt als je blijft weigeren om te eten?'

Ik was vergeten hoe je moest dromen, wilde voor altijd inslapen.

Een heel jaar lang hebben we geen woord tegen elkaar gezegd. We kenden elkaars naam omdat we die van het begin af bij de politie al heel wat keren hadden gehoord.

Nasya, Ashraf en ik bevonden ons in cellen in de politiehondenschool. Valya, Valentina (het Kleintje), Snezhana en Zdravko zaten op het politiebureau. Vanaf het eerste moment dat ik Nasya in het schoolgebouw zag wilde ik haar leren kennen, en later heb ik die kans ook gekregen. Ik had het idee dat ze zacht, gevoelig, kwetsbaar en bescheiden was. Het heeft me veel tijd gekost voor ik haar echt leerde kennen. Ze was gesloten en verdroeg niemand in haar buurt.

Langzamerhand heb ik haar fenomenale, soms bijna sarcastische gevoel voor humor ontdekt, haar ongebruikelijke uitdrukkingen, allemaal kwaliteiten die ikzelf miste. En haar donkere ogen! Ik was onder de indruk van de onbewogen, afwezige blik in haar ogen, die zo contrasteerden met haar bleke huid en platinablonde haar.

En ondanks onze verschillen spraken we dezelfde taal. Het feit dat we elkaar aanvulden heeft het ons mogelijk gemaakt te overleven.

Nasya maakte toen ik mijn was te drogen hing gebruik van een moment van onoplettendheid van de bewakers om me door het venstertje in haar cel toe te fluisteren: 'Heb je de waarheid verteld?'

'Welke waarheid?'

'Dat we elkaar niet kennen.'

'Maar we kennen elkaar toch ook niet?'

'Sorry, maar ik heb gelogen.'

'Probeer in het vervolg de waarheid te vertellen...'

Deze paar woorden hebben Nasya de moed gegeven haar bekentenis op het parket in te trekken. Uiteraard werd er geen rekening gehouden met haar verklaring: de eerste bleef geldig, net als die van Ashraf.

De Libiërs hadden nu alles wat ze nodig hadden. Volgens hun wetgeving was de bekentenis van één enkel persoon voldoende om iedereen die daarin werd genoemd te veroordelen. Ze beschikten nu over mijn bekentenissen en het interesseerde ze geen moer hoe ze die hadden verkregen.

Op een avond had de dienstdoende politieman in de hondenschool ons toegestaan te zingen, ook al was het ons verboden met elkaar te praten. Daar ontdekte ik tot mijn verbazing dat Nasya Bulgaarse liederen zong als een professionele zangeres. Het was voor ons allemaal heel bijzonder om haar lied uit de vrije wereld te horen.

In mijn zolderkamer onder de sterren,
Is het venster voor mij de weg
Om naar hen toe te gaan
En hun te vragen of mijn venster
Voor eeuwig verlicht zal zijn
Of ze voor eeuwig voor mij zingen,
De Beatles en de dichters van vandaag.

Haar stem klonk door de hele gang. Haar lied overstemde het gejank en het geblaf van de honden, de enige geluiden die hier normaal te horen waren.

De telefoon bindt ons, de telefoon scheidt ons.
Is onze liefde niet te grauw?
Als ik wat zeg, houd jij je mond.
En ik zie je lieve ogen niet...

Er werd hard geapplaudisseerd. Het was een onverwacht cadeau, een moment van ontsnapping. Een ontsnapping uit dit oord waar we al zolang verbleven zonder te weten hoe lang nog... Een vlucht naar genegenheid. Een zeldzaam moment waarop we elkaar hadden kunnen vinden. Bulgaarse verpleegsters die elkaar nog niet kenden.

In de periode dat we over de grond kropen, toen ik nog niet wist wat échte angst inhield, had ik een harde stem in een bepaald dialect horen spreken: die van Valya. Ik had haar gevraagd uit welke stad ze kwam. 'Uit Byala Slatina.' Een stadje in het noorden van Bulgarije waar ik nooit was geweest.

Valya had nogal ruwe omgangsvormen. Ze had iets bazigs, eiste continu sigaretten en kreeg die ook nog. Ze was vrij mannelijk en interesseerde zich niet voor anderen. Later bleek ze wel degelijk een gevoelige kant te hebben.

Valentina, klein en fijn gebouwd, droeg een uniform en was zwijgzaam. Als ze naar de wc werd gebracht, jaagde Salma haar op en noemde haar 'schorpioen'. Waarom begreep ik niet. Daarvoor moest ik haar beter leren kennen en later met haar samenwonen.

Een jonge politievrouw draaide als een schim dag en nacht om ieder van ons heen. We sliepen samen, gingen samen naar de wc, ze was deel van me geworden. Al die maanden lang heb ik haar nooit een menselijk gebaar zien maken.

Op een keer werd ik naar het politiebureau gebracht, waar ik zowel Valya als Smilian zag, die daar opgesloten zaten.

Smilian zei onmiddellijk: 'Heb je iets nodig?'

Het was de eerste menselijke opmerking die ik in maanden had gehoord...

Ik antwoordde: 'Nee, alleen vrienden.'

Valya maakte thee. Ze zat erbij of ze thuis was. Snezhana was alleen in haar cel. Ze was zwijgzaam en had een hoofddoek om.

We werden allemaal naar de school gebracht, en de 'kennel' werd ook het huis van het Kleintje en Snezhana. Tijdens het vegen kon ik een paar woorden wisselen met het Kleintje. In tegenstelling tot de anderen was zij niet bang om het 'zwijgregime' te verbreken.

'Ze kunnen ons niet zonder bewijzen veroordelen!'

'Die hebben ze verzonnen...'

Er waren drie mensen die zich met het trainen van honden

bezighielden, onder anderen een Indiër die Engels sprak. Hij bracht me het eerste nieuws van buiten.

'Op de televisie van Saoedi-Arabië is gemeld dat jullie zijn gearresteerd. En president Clinton is in Bulgarije.'

We wisselden stukje bij beetje nieuws uit met behulp van tekens, nauwelijks waarneembare gebaren, knipoogjes en ga zo maar door. Ik had een ultrakort berichtje voor het Kleintje gemaakt dat ik zo klein mogelijk heb opgevouwen en in de hoek van de wc's heb gegooid. Ze ontdekte het pas toen ze voor de tweede keer naar de wc ging.

Het is moeilijk voor te stellen wat het betekent om een heel jaar afgesneden van de wereld te zijn. Op het laatst weet je niet meer of er wel iemand is, ergens, die zich jou herinnert.

Dankzij Mohammed, de politieman die de school moest bewaken, heb ik mijn geloof in God hervonden. Op een dag kwam hij naar me toe en zei: 'Pardon.'

'Waarom zeg je dat?'

'Ik heb gezondigd ten opzichte van jou.'

'O ja, je hebt me toch nooit laten lijden?'

'Je weet het misschien niet meer, maar ik heb je ooit op bed vastgebonden.'

Toen begreep ik dat er zelfs onder hen een paar waren die een geweten hadden, die niet in het scenario geloofden waarin men hen wilde laten geloven, en die walgden van het geweld. Het was de politieman met de laagste rang, die ieders bevelen moest opvolgen, wat hij ondraaglijk vond.

Hij heeft me verteld dat Kleintje het in haar broek had gedaan nadat ze elektrische schokken had gekregen, en dat hem toen was opgedragen haar te wassen met een hogedrukspuit. Vervolgens moest hij haar bewusteloos naar haar cel brengen.

Soms kwam hij me wakker maken terwijl ik in de cel sliep.

'Sta op, er is thee.'

Mohammed nam me mee naar buiten, de binnenplaats op, en we zaten dan zwijgend op de bank. We rookten. Hij stelde me nooit vragen en gaf me het weinige wat hij kon geven: sigaretten.

Als ik behoefte had aan iets zoets, bracht hij me twee lepels suiker. Een andere keer een taart die droop van de siroop, gemaakt door zijn dochter.

Op een dag zei ik tegen hem: 'Er worden verschrikkelijke dingen over mij verteld.'

'Weet je dat de blouse die je draagt schoon is?'

'Ja.'

'Dan hoef je niet te twijfelen.'

Hij sprak weinig en zei nooit zomaar iets. Hij had geen opleiding gehad maar was toch wijs. Mohammed heeft mijn geloof in de mensheid hersteld.

Hij was niet de enige. Moestafa, een jonge politieman, kwam ook zijn excuses aanbieden: 'Vergeef me, ik heb je met handboeien aan het raam vastgemaakt.'

Ik heb geen antwoord gegeven maar het wel onthouden. Moestafa nam zijn dochtertje mee naar de school. Hij hield haar niet verborgen. Snezhana heeft met de hand een speelpakje van spijkerstof voor haar genaaid. Ze kon heel goed naaien. Ze heeft alle versleten fauteuils van de hondenschool opgelapt. En dan was er nog oompje Ali, een volgzame maar menselijke onderofficier. Als de Hond had bevolen dat ik de hele nacht vastgebonden moest blijven, maakte hij me stiekem los. Dan zakte ik in elkaar als een berg vuil wasgoed en viel ter plekke in slaap. Hij liet me zo slapen tot de volgende ochtend en maakte me dan opnieuw vast aan het metalen raamkozijn uit angst dat de Hond zou verschijnen.

Ali was echt menselijk. De politievrouwen waren dat beslist

niet. Hun sadisme kwam bij de eerste de beste gelegenheid naar boven. Er was er maar één, Hanane, die nooit weigerde me te laten douchen of naar de wc te gaan, of te luchten op de binnenplaats. Zij hoefde zich niet op mij te wreken. De jonge politievrouwen waren arme meisjes uit de provincie die door hun ouders naar de politie waren gestuurd omdat ze dan recht hadden op een studiebeurs en gratis eten. Voor Libische vrouwen is de politie geen favoriete werkgever, want het is niet gepast dat een meisje zo ver van haar familie wordt gestuurd. Alleen de allerarmsten nemen hun toevlucht tot deze mogelijkheid.

Deze meisjes hadden een ongelukkige jeugd achter de rug en waren bijzonder gefrustreerd. Ze genoten er op ziekelijke wijze van anderen te vernederen, de macht om te kunnen bepalen of wij mochten gaan plassen en om toezicht uit te oefenen op alles wat wij deden.

Hanane loenste, ze was lelijk. Ze had me een keer begeleid naar een verhoor met een witte doek om haar hoofd. Ik zag een luis op de hoofddoek springen. En daarna natuurlijk ook op mij. Voor de eerste keer van mijn leven had ik luizen, en Hanane was zo vriendelijk mijn hoofd te ontluizen.

In de zomer, toen ik elke dag onder de douche wilde, gaven de vrouwen me te kennen dat ze zelf maar twee keer per week gingen, dus er kon geen sprake van zijn. Met als gevolg dat ik in een blok zout veranderde. Het was 45 graden. Er was water, maar we hadden geen toestemming het te gebruiken. Mijn lijf zat onder de wonden, die nog meer pijn deden door het zweet dat zich dagenlang op mijn huid had verzameld. Ik krabde me voortdurend, in een poging die afschuwelijke krokodillenhuid kwijt te raken.

De onverzorgde, gemene en primair reagerende jonge vrouwen waren kinderen zonder toekomst die het beetje waardigheid dat we nog hadden om zeep brachten.

Anouar, een officier die Engels sprak, verscheen vaak onver-
wachts en begon me dan uit te schelden: 'Smerige christen-
teef...'

Het was een maniak die leed aan zelfoverschatting. Ook hij
was door het leven getekend en ervan overtuigd dat hij een beter lot verdiende. Als zijn chef hem riep, liep hij niet, maar
rende hij erheen. Hij dacht dat we schuldig waren en zei me dit
met minachting, terwijl ik hem aan zijn verstand probeerde te
brengen dat mijn aanklacht niets dan leugens bevatte.

'Geen rook zonder vuur,' zei hij.

Op een keer zag ik tussen de Arabische mensen een blonde
man lopen. Hij had een Europees uiterlijk en was een jaar of
vijftig. Hij had een paar honden bij zich en bleef een poosje bij
de dierenarts.

Ik had willen gillen, hem willen vragen de Bulgaarse ambassade te bellen om te zeggen waar we ons bevonden. Maar ik
kon geen woord uitbrengen. Ik heb niets gezegd. Hij is weer
vertrokken. Een dergelijke mogelijkheid heeft zich niet meer
voorgedaan.

Vooral niet omdat ik heel goed had onthouden hoe ik geblinddoekt en zonder schoenen naar de kennel was gebracht
en men de honden tegen me had opgezet.

Noura, mijn persoonlijke bewaakster, bekeek me op een dag
eens goed en zei: 'Je moet je wenkbrauwen epileren.'

Dat schokte me. Maandenlang had ik me al niet meer in een
spiegel bekeken. Ik had er geen zin meer in. Ik weigerde mijn
lijf te zien, ermee te worden geconfronteerd. Geen verleden,
geen heden, zeker geen toekomst. Ook geen gezicht meer.
Mijn lach was gestolen, mijn oogopslag verduisterd. Niets kon
me mijn levenslust teruggeven.

Maar Noura bleef me er twee dagen lang mee achtervolgen. Ze nam een epileertangetje mee, waarna ik dan toch maar mijn wenkbrauwen heb geëpileerd, vooral om van haar af te zijn.

Vreemd genoeg, en ondanks dat het niet prettig was, was dit de eerste stap terug naar het leven. Terug naar mezelf, vooral. Nu ben ik haar er dankbaar voor.

In mijn eerdere leven liet ik me nooit zo gaan. Ik ging eenmaal per maand naar de schoonheidsspecialiste, verzorgde mijn nagels, mijn huid, mijn make-up. Daarginds voelde ik me zelfs schuldig als ik aan mijn lichaam dacht. Mijn geest was verwoest. Ik had geen greintje aandacht meer voor mijn uiterlijk. Mijn ego was er beroerd aan toe; bestond het nog wel? Toch had ik nu een ommekeer gemaakt. Het pad was nog smal, maar ik voelde dat ik het kon verbreden tot een weg waar ik weer met opgeheven hoofd zou kunnen lopen.

Door al die tijd die we in de hondenschool hadden doorgebracht waren we ermee versmolten, als nutteloze aanhangsels... We waren aan elkaar gewend geraakt, de spanningen tussen ons namen af. Met Nasya wisselde ik nu weleens wat woorden in de gang naar onze cellen. Ik fluisterde, op mezelf wijzend: 'Vissen.'

Zij antwoordde: 'Kreeft.'

Ingewikkelder kon ik het niet maken, maar zo kregen we toch al wat informatie. We zouden onze persoonlijke puzzelstukjes aan elkaar leggen en er één geheel van maken.

Terwijl we op de binnenplaats kleden wasten, zei het Kleintje: 'Salma heeft Snezhana gedwongen op het kruis te spugen, en ze heeft het gedaan...'

Iedereen moest iets opofferen om zichzelf te beschermen. We mochten elkaar geen verwijten maken, we gingen allemaal door dezelfde hel.

Zo brak de eerste Kerstmis in de gevangenis aan.

Nasya kwam langslopen en fluisterde: 'Gelukkig kerstfeest! Ik hou van je. Hopelijk doet dat je goed!'

Ik antwoordde dat het me enorm goed deed, dat ze me een hart onder de riem had gestoken. Ik was vergeten hoe het voelde om van iemand te houden.

Ik had toestemming gekregen om zelf thee te maken. Daarna begon ik restjes vlees uit de gemeenschappelijke pan te verzamelen. Ik verborg ze om er de volgende dag sandwiches van te maken voor Nasya, het Kleintje, Snezhana en Ashraf. We hadden toestemming gekregen om de honden te voeren, die drie maaltijden per dag kregen bestaande uit eieren, melk, groente en spaghetti. De anderen slaagden erin hier en daar wat weg te pikken van het eten van de honden, en ik gebruikte dat dan. Op het akkertje waar ik over de doornstruiken moest rennen vond ik brandnetels, die ik plukte en bereidde. Een van de politiemannen, die vaak dronken was, bracht me een rauwe kip waar ik koude hapjes voor hem van moest maken. Ik hield het orgaanvlees achter voor ons. De restjes dus.

Ik begon de anderen beter te leren kennen op basis van hun reacties. Inmiddels hadden we toestemming gekregen wat met elkaar te praten, maar uitsluitend in het Arabisch!

Op een keer had ik op ons enige bord de resten gelegd van een kip die ik had bereid. We hadden brood, maar geen bestek. Het was niet mogelijk de portie in vijven te delen, zo weinig was het. Maar ik was toch tevreden dat ik iets had kunnen doen. Toen verklaarde het Kleintje: 'Ik wil een bord voor mezelf.' Deze eis leek me idioot, daar we zelfs niet eens ondergoed of zeep hadden... Maar tot op de laatste dag is ze dit soort gedrag blijven vertonen. Ze had altijd onmogelijke eisen. Misschien voelde ze de behoefte anders te zijn dan wij en de aandacht te trekken, maar ze deed dat op een onhandige manier, zodat ze autoritair overkwam.

Ashraf kookte ook. Hij was bij de chef in de gunst gekomen door hem te verzorgen, te scheren, thee voor hem te maken en ga zo maar door. Zijn hulp was welkom, want hij werd ingeschakeld bij het snijden van vlees voor de honden en hij bracht ons dan stiekem ook wat.

Ook al had hij zijn best gedaan de bewaking te paaien, hij moest toch maandenlang met handbocien om slapen. Pas in september 1999, negen maanden na zijn aanhouding, kreeg hij toestemming om zonder boeien te slapen.

Op een dag kwam hij naar me toe, toen de bewakers even weg waren, en zei tegen me: 'Pardon.'

Dit was het eerste 'normale' woord dat we wisselden nadat we door de mangel van de martelingen waren gehaald. Hij vroeg me vergeving omdat hij onwaarheden had verteld door me aan te wijzen als de organisatrice van een imaginaire samenzwering. In het begin haatte ik hem. Hij was eerder opgepakt dan wij en hij was al gelijk de eerste dagen gemarteld. Toen ik vernam dat hij vóór mij was gefolterd door middel van elektrische schokken, verdween mijn onbegrip. Ik heb het hem vergeven. Ik voelde dat hij dat echt nodig had. Maar het was niet makkelijk.

Nasya wilde zich graag nuttig maken. Ze waste de pannen zonder dat iemand haar daartoe opdracht gaf. Snezhana zweeg. Ze deed alsof ze me niet zag en maakte geen gebruik van de momenten waarop we contact met elkaar konden hebben, wanneer de bewakers even niet opletten.

Valya, Valentina en Nasya gaven antwoord. Valentina was koppig, ze probeerde zich te verzetten tegen de bewaaksters. Als zij haar niet toestonden naar de wc te gaan, weigerde ze zelf de volgende keer te gaan. Dat was haar manier om verzet te plegen tegen de onderdrukking. Ik verweet haar niets, iedereen verdedigt zich op zijn of haar eigen wijze, maar zij bracht zichzelf schade toe. Vaak werd haar gevraagd om de auto van de chef te wassen, zodat ze iets te doen had.

De directeur van de school ging overigens normaal met ons om. Hij begon sigaretten voor ons te kopen en als tegenprestatie wasten en streken Nasya en ik voor hem. Om wat te doen te hebben gingen we later ook het wasgoed van de andere officieren strijken. Snezhana naaide voor hem en legde zomen in de uniformen. We zaten in zijn harem, waren zijn slavinnen.

Jaren later heeft maar een van hen zijn beestachtige gedrag opgebiecht. Van iedereen die had deelgenomen aan of getuige was geweest van al het wangedrag, was hij echt de enige die zich ervoor schaamde. Later hebben ze hem gedwongen een proces wegens laster tegen ons aan te spannen, samen met zes andere folteraars. Ze wilden dat de rechtbank zou aantonen dat wij over de martelingen hadden gelogen. Dat is ze niet gelukt, maar het was wel een soort trap na... Ons dwingen te bewijzen dat we onze folterverhalen niet hadden verzonnen.

De enige voor onze situatie interessante gebeurtenis van die hele periode vond plaats op 30 oktober 1999.

We werden naar het bureau van de Generaal gebracht. We wisten bij voorbaat dat we onze monden dicht moesten houden. Daar ontmoetten we Plamen Ikonomov, een Bulgaarse diplomaat die ik nog niet kende. Hij was nerveus en maakte niet de indruk de Libiërs erg gunstig gezind te zijn. In ieder geval deed hij niet zijn best hen te paaien, zoals zijn collega's tot dan toe wel hadden gedaan.

Onze ontmoeting was kort, maar het was het enige moment waarop we het gevoel hadden dat er positieve aandacht aan ons werd geschonken. Hij gedroeg zich niet als een diplomaat maar als een echte Bulgaar. Hij was daar om achter de waarheid te komen.

Allereerst zei hij: 'Verlies de moed niet!'

Stilte. Het was ons verboden te antwoorden.

Hij keek ons stuk voor stuk aan. En wendde zich vervolgens woedend tot de Hond: 'Waarom dragen mijn landgenoten versleten sloffen?'

In oktober is het zelfs in Libië koud en we liepen allemaal op vrijwel blote voeten. Ikonomov wist niet dat onze ledematen allang niet meer gevoelig waren voor hitte of kou.

De Hond antwoordde met minachting in zijn stem: 'Ik loop ook op sloffen.'

'Met u heb ik niets te maken, ik wil dat ze goede schoenen krijgen!'

Wij bleven onbeweeglijk zitten, met neergeslagen ogen.

Ik dacht: eindelijk iemand die ons ziet, die zich met ons bezighoudt, we worden niet vergeten. Die man deed me echt goed.

De diplomaat richtte zich vervolgens tot ons: 'Is er geweld gebruikt?'

Na negen maanden lichamelijk en geestelijk te zijn gemangeld, stelde eindelijk iemand De Vraag.

Stilte.

Hij deed niet of hij niets zag... Hij verschool zich niet achter diplomatieke formaliteiten. Hij wilde weten hoe het zat en ze dat ook laten zien. Zijn gezicht betrok, zijn metalige stemgeluid klonk krachtig en duldde geen tegenspraak: 'Hun zwijgen is een bevestiging die ik zal doorgeven aan de bevoegde instanties!'

God bestond.

Hij was hier. Terwijl ik dacht dat Hij ons verlaten had.

De weinig diplomatieke opstelling van de man had me weer moed gegeven.

Ik wilde niet dat het gesprek zou stoppen, ik wilde dat hij bleef.

Ik wilde hem bij de hand pakken en met hem weggaan. Ik wist dat het onmogelijk was maar wilde hem terugzien.

Ik vroeg: 'Waar is mijn man?'

Zdravko was niet bij ons, en ik wist niet waar hij zich bevond.

Ikonomov wond zich op.

'Waarom is haar man niet hier? Wie kan dan bevestigen dat hij nog leeft?'

Toen werden ze zenuwachtig. De Hond zei dat hij levend en wel opgesloten zat, in de gevangenis Djoudeida, een officieel detentiecentrum, en dat ze hem zouden ophalen.

Wij zijn daarentegen één jaar en twee maanden verborgen gehouden. Afgesneden van de rest van de wereld en gemarteld totdat de verschrikkingen het gewenste resultaat hadden opgeleverd.

Ikonomov kapte de verwarde verklaringen van de politiemensen over Zdravko af en wendde zich nogmaals tot ons: 'Jullie moeten niet bekennen wat je niet hebt gedaan!'

Daarop kwam de tolk die elke zin in het Bulgaars vertaalde tussenbeide en zei: 'Wij hebben vierhonderd rouwende gezinnen...'

Ikonomov keek hem kil aan en antwoordde scherp: 'Dat wil absoluut nog niet zeggen dat ze schuldig zijn.'

En hij ging weg. We hebben hem nooit meer teruggezien. Hij was de enige diplomaat die de Bulgaarse autoriteiten de waarheid heeft gezegd. Ja, we waren geslagen, vernederd, gebroken. Hij heeft gezegd waar het op stond.

Ik ben hem uit het oog verloren. De andere diplomaten kennen hem niet. Ooit hebben ze toen ik ernaar vroeg vaag geantwoord: 'Zijn zoon schijnt in Libië slachtoffer te zijn geworden van agressie.'

Ik denk dat hij zijn heldhaftige opstelling duur heeft moeten betalen.

Niemand heeft zijn voorbeeld durven volgen. We hadden alleen nog de vage herinnering aan een Bulgaar om trots op te zijn, een man die we even hebben ontmoet, een luchtspiegeling die spoedig weer verdween.

Het volgende bezoek bracht louter troosteloosheid en een flinke dosis clichés. Even voor kerst kwam een nieuwe ambassadeur ons opzoeken.

Ik verwachtte dat hij op zijn minst een pakketje met eerste levensbehoeften bij zich zou hebben: tandenborstels, handdoeken, ochtendjassen, slipjes... Niets van dat alles.

Hij gedroeg zich alsof hij op een bijeenkomst van de Communistische Partij was. 'Bulgarije wordt lid van de Europese Unie, wisten jullie dat?'

De actuele politieke situatie interesseerde me totaal niet; ik had handdoeken nodig. Maar we moesten beleefd blijven.

'Er is in Bulgarije ontzettend veel sneeuw gevallen, de wegen zijn onberijdbaar...' En zo ging hij verder, zonder aandacht te schenken aan de lusteloze blikken tegenover hem.

We hadden ons maanden niet gewassen. Wat moesten wij met Bulgarije en de toestand van de wegen? We hadden genoeg aan ons eigen drama. Wat we nodig hadden was iemand die ons uit de Libische kerkers haalde.

Valentina, het Kleintje, begon te huilen.

De ambassadeur beet haar bruut toe: 'Zeg, geen drama's hier, hoor!'

Hij gaf ons allemaal tien dinar en vertrok weer. Hij probeerde zijn geweten te sussen met een bedrag dat zo miserabel was dat het zelfs onze meest rudimentaire behoeften niet kon dekken. Tien dinar! Als je alleen al denkt aan het geld dat we moesten betalen aan de bewaker die inkopen voor ons deed en het wisselgeld nooit teruggaf...

Persbericht dat op 27 december 1999 werd rondgestuurd verklaarde dat die ontmoeting was georganiseerd 'ter gelegenheid van de eindejaarsfeesten'! Dat we kerstwensen in ontvangst hadden genomen, nieuws uit Bulgarije hadden gekregen en dat voornoemd land niet twijfelde aan de 'objectieve en onpartijdige aanpak van het onderzoek door de Libische autoriteiten'.

In april 2001 stuurde de voormalige Bulgaarse president Petar Stojanov zijn afgezant Hristo Danov (midden) naar Tripoli. Links van hem Kristiana Valcheva. (Foto AFP, Ho)

De verdachten en hun bewakers, Tripoli, november 2006. (Foto AFP, Mahmud Turkia)

Rechters van het Libische Hooggerechtshof tijdens het hoger beroep dat
diende op 20 juni 2007. Uiteindelijk wordt de uitspraak verdaagd tot
11 juli 2007. (Foto EPA, Sabri El Mhedwi)

Libische vrouwen demonstreren voor het gebouw van het Hooggerechtshof
met foto's van kinderen die met het hiv-virus besmet zijn. De bevolking is
overtuigd van de schuld van de Bulgaarse verpleegsters en de Palestijnse
dokter. (Foto AFP, Mahmud Turkia)

Kristiana Valcheva treedt veelvuldig op als woordvoerster van de verdachten. Hier staat ze de pers te woord in de rechtzaal in Tripoli op 11 maart 2007. (Foto EPA, Sabri El Mhedwi)

Nasya Nenova, Ashraf Ahmet (de in Bulgarije geboren Palestijnse arts), Kristiana Valcheva, Valya Chervenyashka en Valentina Siropoulo achter de tralies tijdens een van de vele zittingen in de rechtbank van Tripoli. (Foto EPA, Sabri El Mhedwi)

De moeder van Kristiana Valcheva, Zorka Anachkova, tijdens een demonstratie voor de Libische ambassade in Sofia in maart 2005, met een foto van de Bulgaarse verpleegsters en de Palestijnse dokter. (Foto EPA, Vassil Donev)

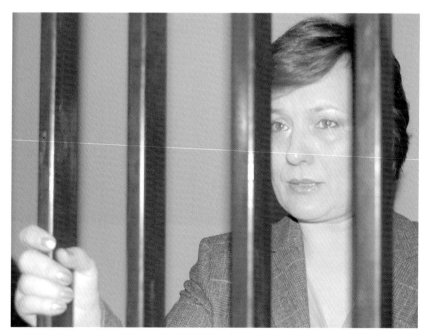

Kristiana Valcheva tijdens een van de laatste zittingen. De verdachten worden inmiddels door de internationale publieke opinie (behalve die in Libië) niet meer gezien als mogelijke schuldigen. Experts denken dat de hiv-besmettingen te wijten zijn aan de slechte hygiëne in het ziekenhuis van Benghazi. (Foto AFP, Mahmud Turkia)

De vijf verpleegsters na hun vrijlating. Aankomst met het vliegtuig van de Franse president Sarkozy in Sofia. Kristiana Valcheva loopt voorop. Inmiddels is er wereldwijd verontwaardiging ontstaan over een aangekondigde wapenlevering van Europa aan Libië, de eerste sinds het embargo in 2004 werd opgeheven. (Foto AFP, Boryana Katsarova)

Kristiana Valcheva staat de pers te woord vlak na haar aankomst op het vliegveld van Sofia, op 24 juli 2007. (Foto AFP, Boryana Katsarova)

Van links naar rechts: het Europese Commissielid Benita Ferrero-Waldner, de Franse afgezant Claude Guéant en de voormalige Franse 'first lady' Cécilia Sarkozy kijken naar Kristiana Valcheva, die een familielid begroet. (Foto AFP, Dimitar Dilkoff)

Kristiana Valcheva op de schouders van een familielid, op het vliegveld van Sofia. (Foto AFP, Dimitar Dilkoff)

Kristiana Valcheva en de in Bulgarije geboren Palestijnse arts Ashraf Ahmet tijdens een mis in de Alexander Nevski kathedraal in Sofia, 29 juli 2007. Libië mobiliseert dan al de Arabische wereld om te protesteren tegen het niet berechten van de medici door de Bulgaarse overheid. (Foto AFP, Dimitar Dillkoff)

De Libische leider Muammar Kadhaffi schudt de hand van de Franse president Nicolas Sarkozy in Tripoli, een dag na de vrijlating van de gevangenen. Sarkozy heeft beloofd zich in te zetten voor normalisering van de betrekkingen na decennia van sancties en isolatie. (Foto EPA, Sabri El Mhedwi)

De voorzitter van het Europese Parlement Hans-Gert Pöttering te midden van de voormalige gevangenen. Uiterst links Kristiana Valcheva. (Foto EPA, Eric Vidal)

In oktober 2007 presenteert Kristiana Valcheva in Parijs vol trots het eerste exemplaar van haar in het Frans geschreven boek. (Foto AFP, Thomas Coex)

9

HYGIËNE

Ik word ervan beschuldigd honderden kinderen te hebben besmet. Tijdens de martelingen hoorde ik maar één ding: 'Wie
zit hier achter? De Mossad?'

Toen hebben ze me met hun martelingen zover gebracht dat
ik het surrealistische, volslagen absurde scenario heb bedacht
dat ik een crimineel ben die een bijna gediplomeerd arts en zeven ervaren verpleegsters heeft omgekocht met als enig doel
het vernietigen van de jeugd, de hoop van het Libische vader-
land. En voor geld, maar liefst tienduizend dollar. Wie kon er
begin 2000 in zo'n enorm complot geloven? Dat was nog het
meest vernederend aan de hele kwestie. Mijn woede sloeg om
in onbegrip. Wie zat er werkelijk achter deze enorme misstand
waarin ik samen met anderen terecht was gekomen? Dokter
Saad was verdwenen zonder enig spoor achter te laten. Hij
werd gespaard, want buitenlandse leidinggevenden van het
ziekenhuis moesten de schuld in de schoenen geschoven krijgen.

Saad was nogal nerveus, verstrooid, uiterst eerlijk, een harde
werker, maar zeker geen samenzweerder. Hij werkte al lange
tijd op het ministerie van Volksgezondheid en zat in de directie van de Rode Halvemaan. Hij had dus twee hoge functies en
dat zorgde voor vijanden en afgunst. Hij liep niet graag met

zijn macht te koop, maar bewees anderen liever diensten; nooit stuurde hij mensen weg die hem om hulp vroegen. Hij was een vriend geworden. Ik had er niet om gevraagd, maar ik schaamde me ook niet voor onze vriendschap. Ik weet niet of het geluk of pech was, maar hij was secretaris op het ministerie van Volksgezondheid en onze beroepsmatige vriendschap kon aanleiding zijn voor kletspraatjes.

Saad was altijd vol lof over mij en verborg zijn sympathie niet. Mijn collega's waren jaloers en niemand geloofde natuurlijk dat we geen verhouding hadden. Iedereen (vooral de vrouwen) dacht dat er aan zijn bescherming wel een prijskaartje moest hangen. Ik heb niet geprobeerd uit te leggen dat hij bij mij thuis anders was dan in het ziekenhuis. Niemand zou dat hebben begrepen en ik meende dat het ook niet erg belangrijk was. Als ik onbekwaam was geweest, zou hij nooit vriendschappelijk met me zijn omgegaan. Ik toonde karakter en Saad respecteerde me. Hij maakte geen deel uit van mijn vriendenkring, maar nam een aparte plaats in mijn leven in. Hij was de enige Libiër die bij mij thuis kwam. De Filippijnse vrouwen bekeken me met respect, ze wisten dat hij zo goed als minister was en dat ze beter geen commentaar konden leveren. Maar de Bulgaarse vrouwen deden wat ze konden om roddelpraat de wereld in te sturen. Mijn grootste probleem met de Libische vrouwen was hen de hygiëneregels te doen naleven.

Ik herinner me dat dokter Aouad, het hoofd van de dialyseafdeling, op een dag over zijn eigen land opmerkte: 'Bloody country.'

De Dictator, zoals ik hem had genoemd, toonde altijd een stiptheid die aan het maniakale grensde. Het tweede jaar vond ik mijn werk nog steeds moeilijk, maar had ik meer vertrouwen in mezelf en was ik een van de besten van de afdeling. Dokter Aouad eiste veel van me. Hij was nooit tevreden, of die

reputatie had hij in ieder geval. Soms leverde hij volkomen onterecht kritiek op me. Hoe beter ik werd, des te veeleisender
werd hij. Hij kwam de dialysezaal binnen, controleerde of de
patiënten waren aangesloten, bladerde wat in de gegevens,
streek met een vinger over de tafel om te zien of er geen stof
op lag, en als hij niets vond, vroeg hij me naar de namen van
de patiënten. Arabische namen zijn uiterst ingewikkeld, maar
ik kende ze, en zelfs van iedereen beide namen. Hij ging dan
woedend weg omdat hij me niets had kunnen verwijten. Tot
de volgende poging. Op een dag bood ik hem de kans me de
grond in te boren. De hemodialyse was oud, er was te weinig
licht in het vertrek, een van de machines werkte niet meer en
op een gegeven moment hadden we geen materiaal meer. We
werkten met nylon handschoenen in plaats van latex, alsof we
kapsters waren in plaats van verpleegsters. Dat was in 1992. Ik
besloot dat ik zo niet meer kon werken en het team dat op dat
moment dienst had, ging daarin mee. We stopten met werken
en zetten de machines uit. Ik wilde hiermee keihard duidelijk
maken dat voor ons de maat vol was. We wilden in betere hy-
giënische omstandigheden verder kunnen werken. Ik had niet
in de gaten dat ik aan het staken was! In Libië wordt die vorm
van protest niet geaccepteerd. Ik wilde alleen maar echte
handschoenen, meer niet. Iedereen luisterde en deed met me
mee: Syriërs, Polen, Serviërs, Bulgaren en een Egyptische – ze
zijn allemaal met me meegegaan. We togen naar de afdelings-
arts om haar te zeggen dat het zo niet langer kon.

Mijn stem trilde. Toen ik daar stond begreep ik intuïtief dat
dit ernstige gevolgen voor me zou kunnen hebben. Ik voelde
dat de arts, een Libische, me heimelijk bewonderde om mijn
lef, het feit dat ik durfde te protesteren. Al bleef ze koeltjes en
luisterde ze naar me alsof ik haar bediende was, toch klonk in
haar stem geen verwijt door.

Hoe het ook zij, ik wist dat ik het recht had op een bescheiden verbetering, en dat het altijd aan mijn professionele geweten zou blijven knagen als ik mijn mond hield.

De volgende dag werd ik bij Saad geroepen. Ik begreep dat ik te ver was gegaan. Ik groette Saad beleefd en ging nederig zitten, in afwachting van zijn vonnis. Hij vroeg me: 'Wat is het probleem?'

'U hebt mij bij u geroepen!'

'Vertelt u me eens welke problemen er bij de hemodialyse zijn.'

Ik heb hem verteld dat er geen handschoenen waren, dat de machine kapot was en we niet voldoende personeel hadden, dat de airconditioning niet werkte, dat er één verpleegster op vier patiënten was en onvoldoende materiaal. Hij luisterde naar me en zei me terug te gaan naar de afdeling.

Daar aangekomen gedroeg ik me alsof er niets was gebeurd. Ik heb mijn dienst afgemaakt. Dokter Saad deed wat hij kon.

Eén zwaluw maakt echter nog geen zomer. In je eentje krijg je niets voor elkaar. Hij deelde wat opdrachten uit, maar zonder resultaat. Dit kwam niet door geldgebrek maar door slordigheid en een gebrek aan organisatie.

Enkele dagen later werd ik bij het afdelingshoofd Aouad geroepen. Er was geen duidelijke reden voor en ik ging dus bedrukt naar de man toe, in de veronderstelling dat het niet goed zat. De Dictator riep nooit iemand bij zich om complimenten te maken. Hij ontving me op de gebruikelijke manier: koel, meedogenloos, als het clichébeeld van een Japanner. Hij stak zijn hand uit. 'Vrede, Kristiana?'

'Ja, maar tijdelijk.'

Hij bood me aan hoofdverpleegkundige te worden van de dialyseafdeling.

'Ik zal erover nadenken. Maar als u mij en de andere verpleegsters als beesten blijft behandelen, wil ik niet meer op deze afdeling werken, laat staan hoofd ervan worden.'

Hij reageerde niet op mijn harde woorden. Voor hem bestond ik niet en mijn reactie raakte hem dus ook niet. Het gesprek was beëindigd. Hij wachtte alleen nog op een antwoord. Aouad was een ambitieuze maniak, begaafd met een onuitputtelijke hoeveelheid energie, wat voor een Libiër ongebruikelijk is. Hij was erg actief. Hij had een neus voor het opsporen van workaholics en ze aan hem te binden. Vervolgens liet hij ze werken tot ze erbij neervielen. Zijn vader was een van de grootste motorimporteurs van Libië, voordat de Italianen het land verlieten. Aouad was in Italië opgeleid. Zijn vrouw, dochter van de voormalige Libische ambassadeur in Londen, was kinderhematoloog en droeg geen sluier. Ze hadden vier kinderen. Aouad, vierenveertig, was bot, perfectionistisch en hij behandelde buitenlands personeel even wreed als Libische werknemers. Hij hield ervan iemand publiekelijk te vernederen, toeschouwers te hebben als hij iemand de grond in boorde. Dat was tamelijk vreemd voor een Libiër. Bovendien ging hij niet onopgemerkt door het leven vanwege zijn perfect verzorgde uiterlijk en de verschillende auto's waarin hij reed. Die zag je al van verre aankomen en ze waren altijd brandschoon. Hij droeg een kostuum met stropdas, gepoetste schoenen en had een duur parfum op. We wisten nooit wanneer hij op de afdeling kwam om deze te controleren; hij kon ieder ogenblik opduiken, dag en nacht, als een geestverschijning. Een vriendin die bij hem thuis poetste, vertelde dat hij om half zes opstond, het ontbijt klaarmaakte en de kinderen wekte zoals dat in het leger gebeurt. Er werd verteld dat hij niet meer dan drie uur sliep. Ik had het gevoel dat ook hij op zijn manier Libië en het systeem wilde veranderen. Hij streefde ernaar kwaliteitswerk te leveren, wat in Libië bepaald niet gangbaar was. Hij droomde van wat hij in Italië had gezien.

Zijn afdeling werd geleid als een legerdetachement: schoon, met orde en regels. Toen hij opdracht gaf om patiënten en personeel met spoed te onderzoeken, werd er veel hepatitis B en C vastgesteld, maar bij niemand het hiv-virus. Hij was erin geslaagd een mogelijke besmetting te voorkomen.

Maar het ontbrak hem aan finesse, beschaving en evenwicht. Hij bleef maar bot doen tegen me, zelfs toen ik hoofdverpleegkundige was geworden. Ik diende hem op dezelfde manier van repliek. We speelden het spelletje met een air van onverschilligheid, maar in feite voelden we bewondering voor elkaar. We daagden elkaar uit, voerden een verkapte oorlog, niet om erachter te komen welk karakter zou winnen, maar om te weten wie de beste was. In alles. Ik wilde dat er naar zijn beroepsmaatstaven steeds minder kritiek op me geleverd kon worden, en hij maakte me duidelijk dat ik op alle fronten tekortschoot. Maar we hadden elkaar nodig. Hij voelde dat ik bereid was alles te doen voor de patiënten en maakte daar misbruik van. Wat mij betreft, ik vond het voldoende te weten dat we beroepsmatig op één lijn zaten en dat hij me zou begrijpen als ik om handschoenen vroeg.

In 1992 werd de nieuwe dialyseafdeling gebouwd. Een nieuwe wereld. Nieuwe Zweedse machines, via een computer regelbaar. Maar het was te zwaar voor me. Het verplaatsen van de afdeling kostte tijd en stelde onze zenuwen zwaar op proef omdat de Dictator telkens van mening veranderde wat de plaats betrof waar de verschillende onderdelen moesten worden neergezet. Uiteindelijk zijn we erin geslaagd alles op orde te krijgen. En het gebruikelijke leven begon weer van voren af aan. Ik ging vaak zijn kantoor binnen, want ik was erg gehecht aan mijn team en hield me voortdurend met de problemen van de verpleegsters bezig. Als ik was uitgesproken zei hij spottend: 'Oké mama!'

Maar als hij kon loste hij de problemen op, en dat was voor mij het belangrijkste. Ik voelde me zeker van mezelf. De artsen deden een beroep op me voor alle patiënten met lastige aders, rekenden op mij in crisissituaties, en dat schonk me beroepsmatig bevrediging. Ik liet me niet de kaas van het brood eten. Soms stelde ik me arrogant op, want ik wist tot hoever ik kon gaan. Zes maanden lang heb ik geprobeerd hem te leren zeggen: 'Dobar den' ('goeiedag' in het Bulgaars). Hij antwoordde niet eens. Daar was hij een meester in, zich tegenover mij gedragen alsof ik niet bestond.

Op een dag brulde ik op de trap: 'Dobar den, dokter!'

Hij draaide zich om, bromde iets van een groet, en vanaf die dag antwoordde hij me iedere ochtend. Terwijl ik voor hem een ding bleef, een slaaf, iets, maar niet iemand. Dat accepteerde ik niet, dus ik vocht terug. Ik wilde dat hij zich ten minste aan de meest elementaire fatsoensregels hield. Het was moeilijk voor hem zijn trots opzij te zetten en te laten zien dat hij me zag, maar hij moest wel. Hij begreep dat ik per slot van rekening koppig genoeg was, niet alleen wat mijn begroetingen 's morgens betrof, maar met alles. Hij zei: 'Kristiana, er gaat altijd een soort straling van je uit.'

Dat was zijn manier van complimenteren. Hij kon niet vriendelijk zijn. Hij kon innemend lachen, maar dat liet hij aan erg weinig mensen zien. Hij is erin geslaagd een modeldialyseafdeling voor Libië op te zetten, hygiënisch, met moderne machines en perfect aangestuurd. De gangen glansden, gewoon omdat hij een onderneming had ingeschakeld die meerdere keren per dag schoonmaakte. Op een dag viel een meisje dat de glazen aan het wassen was van de eerste verdieping in een rozenstruik. Aouad had zijn team zozeer gehersenspoeld dat iedereen in plaats van zich met het arme meisje bezig te houden, zijn best deed voor de dokter te verbergen dat er een rozenstruik beschadigd was!

Voor zijn omgeving was hij een fanaticus tot in de kist. Ik denk dat hij voor zichzelf even destructief was. Hij was zeker niet gelukkig. Ik weet niet waarom. We zijn nooit zover tot elkaar gekomen dat ik in het diepst van zijn ziel heb kunnen kijken.

Het jaar erna ben ik met verlof naar Bulgarije gegaan. Een collega verving me. Toen ik terugkwam, wilde ik de functie van hoofdverpleegkundige niet meer. Ik had besloten dat ik lang genoeg in dit vak zat om me te kunnen permitteren aan mezelf te denken en niet al mijn energie in het werk te steken.

Zdravko en ik kenden al veel mensen. Ik had een collega die verschrikkelijk graag op de dialyseafdeling wilde werken. Het is me gelukt ervoor te zorgen dat ze werd overgeplaatst. Diana was jong, zevenentwintig. Ze had een Duitse vriend en we gingen vaak bij hen op bezoek in hun villa. Ze heeft ons een andere wereld binnengebracht. Ze was een van de weinige Bulgaarse verpleegsters die Engels spraken. Ze was direct, intelligent, goed opgevoed en een van de zeldzame landgenoten om wie ik werkelijk gaf. Diana heeft erg lang met die jonge Duitser samengewoond, al wist ze dat de toekomst voor hen samen geen enkel perspectief bood: hij was getrouwd. Ze sprak er met het nodige cynisme over, waaruit bleek dat ze het leven voldoende kende en zich niet veel illusies maakte. Ze had mooie juwelen maar droeg ze zelden. Toen ik haar vroeg waarom, antwoordde ze: 'Ik ben bang dat de anderen jaloers worden.'

Ze vertrok met verlof naar Bulgarije en twee weken later kwam haar Duitse vriend met een droevig bericht: 'Diana is in

Sofia in een ziekenhuis voor infectieziekten overleden aan hepatitis B.'

Later bleek dat ze met hepatitis was besmet op de dialyseafdeling waar we beiden hadden gewerkt. Ik voelde koude rillingen over mijn rug lopen. En ik bedacht hoe vaak ik haar had verweten dat ze vergat handschoenen aan te doen om een spoedeisende bloeding te stoppen. Ik mis haar nu nog. Ik heb een vriendin verloren die dezelfde taal sprak als ik, maar ook zonder Diana ging het leven door. In 1995 waren er op de nieuwe dialyseafdeling zeer heftige conflicten tussen dokter Aouad en het ministerie van Volksgezondheid – zo begreep ik het tenminste. Libië werd geboycot, maar hij eiste dat alle noodzakelijke goederen werden geleverd. Ik wist dat er in diezelfde tijd in Bulgarije nog veel meer gebrek was aan van alles. Daar in Benghazi stond Aouad niet toe dat een filter tweemaal werd gebruikt. Het afdelingshoofd wond zich steeds vaker op; schreeuwend dreigde hij ontslag te nemen omdat hij het beu werd steeds maar tegen het systeem te moeten vechten.

Hij is vertrokken om de leiding van de Rode Halvemaan op zich te nemen. In zijn plaats kwam er een arts die zich gespecialiseerd had in de Verenigde Staten en het toonbeeld was van alles wat ik in de Libiërs haatte. Hij was een intrigant, ging slecht gekleed en nam roddels serieus. Er werd gezegd dat hij een goede arts was, maar ik heb daar niets van gemerkt. Er ging iets onfris van hem uit. Ik kon geen respect voor hem opbrengen, gewend als ik was aan het militaire perfectionisme van Aouad.

Er kwam ook een nieuwe vrouwelijke arts. Die verstond haar vak totaal niet, gaf de verkeerde opdrachten en ik begon haar tegen te spreken. Ze zat daar niet op de juiste plek. Ze zag belangrijke dingen over het hoofd en meende dat ze vanwege haar hoge positie nalatig kon zijn zonder dat het consequenties had. Ik heb haar getoond dat ze fout zat. Ik boog opdrachten van haar om en stak mijn minachting niet onder stoelen of banken. Haar antwoord liet niet lang op zich wachten. Ze had meteen al een hekel aan me gehad en begon me tegen te werken met behulp van anonieme rapporten.

Zo riep het nieuwe hoofd me op een dag bij zich om me op verwijtende toon te vragen: 'Waarom gedraag je je zo ten opzichte van de dokter?'

Heimelijk peinsde ik dat Aouad haar geen seconde op zijn afdeling zou hebben getolereerd, dat hij haar bij de eerste fout zou hebben weggestuurd, maar ik antwoordde in bedekte termen: 'Als ze in Bulgarije had gewerkt, had ze haar talenten alleen maar in de wasserij van het ziekenhuis mogen botvieren.'

'Je kunt kiezen: je neemt ontslag of je krijgt ontslag.'

Ik ben vertrokken. Ik heb overplaatsing aangevraagd naar het Aouari Ziekenhuis, waar ik eerder had gewerkt. Drie maanden werkte ik daar op de afdeling Interne Geneeskunde. Vervolgens werd er verbouwd, de afdelingen werden verspreid over de stad, en ik kwam elders terecht.

Het was saai daar, volkomen oninteressant. Tot de dag dat de telefoon ging. Het was dokter Aouad. 'Kristiana, ik ga weer op de dialyseafdeling werken, kom je ook?'

Ik heb onmiddellijk toegezegd. Dat was in 1997. Ik accepteerde, maar op één voorwaarde. Ik wilde geen nachtdiensten. Ik had vrienden, een leven, ik ging uit.

Het jaar erna verliep rustig. In de lente kwamen de stagiaires opdagen. Een ervan heette Ashraf. Hij maakte een goede indruk, was vriendelijk tegen patiënten en collega's. Hij zag er zeer verzorgd uit, tot in de kleinste details: een schoon hemd, goed gestreken, goed geknipte baard, keurig kapsel, eau de toilette, gepoetste schoenen. Als hij voor zichzelf koffiezette, bracht hij ook een kop naar de anderen van het team. Je kon zien dat hij echt arts wilde worden en niet alleen maar zijn tijd kwam verdoen. Hij liep zijn stage en ging weg. Ik was hem alweer vergeten. Ik wist niet dat ik me hem moest herinneren. Ik ben nooit in het kinderziekenhuis van Benghazi werkzaam geweest. Maar ik was Bulgaars.

Eind januari 1999 was dokter Aouad plotseling verdwenen. Ik heb hem niet meer teruggezien. Waarschijnlijk wist hij beter dan ik wat er zich allemaal afspeelde in het kinderziekenhuis, want zijn vrouw werkte er. Hij heeft me niets gezegd. Hij is verdwenen uit mijn leven zoals hij erin was verschenen: afstandelijk, hautain, een onbekende.

Ik heb me weleens afgevraagd of ik niet ben 'uitverkoren' om deze verschrikkelijke last te dragen. Of het iets anders dan toeval was.

10

HET VOLKSTRIBUNAAL

Hieronder volgt een fragment uit het communiqué van het Bulgaarse Telegraafagentschap met betrekking tot de Bulgaars-Libische zitting van de bilaterale commissie in Sofia van 19 november 1999. Met mijn commentaar.

Bulgarije en Libië zijn overeengekomen het probleem van de Bulgaarse leidinggevende medische functionarissen die in Benghazi gevangen zitten snel op te lossen om dit geen schaduw te laten werpen op de bilaterale betrekkingen.
Ik vind de woorden 'snel' en 'schaduw' erg mooi...
Mohammed Alhidzhazi, secretaris van het Algemeen Comité voor Jeugd en Sport, heeft eerste minister Evgueni Bakardjiev verzekerd dat de Libische regering zich serieus met de kwestie bezighoudt.
Een ambtenaar van Jeugd en Sport tegenover een eerste minister... voor een dergelijke belangrijke zaak?
De heer A. heeft zich er persoonlijk mee beziggehouden en heeft beloofd alles te doen om een eerlijk proces te garanderen. 'We bidden Allah dat het vonnis hun onschuld bevestigt,' heeft de Libische secretaris verklaard, waarbij hij hoopte op een snelle oplossing van deze zaak. [...] Hij heeft verklaard dat de Libische regering een onpartijdig proces zal

garanderen, met name inzake het recht op verdediging, en zal toestaan dat vertegenwoordigers van de ambassade en het aangeklaagde medische personeel elkaar kunnen ontmoeten.

Mijn aandacht wordt getrokken door het woord 'onpartijdig' vanwege de latere gebeurtenissen.

De eerste dag dat de bilaterale commissie in vergadering bijeenkwam, heeft viceminister Marin Raykov verklaard dat als een aantal van de leidinggevende medische functionarissen schuldig blijkt te zijn, de verdediging door Bulgaarse advocaten zal worden gevoerd. De onschuldigen zouden het land mogen verlaten, indien ze dat wilden.

Als ze schuldig blijken te zijn... Heeft nog niemand begrepen dat Libië vanaf het begin wil dat we schuldig zijn? Dit soort verklaringen doet pijn.

7 februari 2000, twee dagen voor D-Day, een jaar na het begin van het grote niets, werden we overgebracht zonder dat iemand zei waarnaartoe en waarom. In werkelijkheid kwamen we voor het Volkstribunaal te staan. Deze rechtbank behandelt alle geheime zaken betreffende staatsveiligheid, en de onze was er zo een. Beschuldigd van samenzwering met het doel de fundamenten van de Libische staat in gevaar te brengen.

We werden in de rechtszaal in een kooi opgesloten. Naast ons zaten in een andere kooi ongeveer dertig jongelui in een gestreept gevangenisuniform en met een pet op hun hoofd. We waren bang dat er een verband zou worden gelegd tussen onze zaak en die van hen op basis van een knap in elkaar gezet scenario.

Ze bleken van terrorisme te worden beschuldigd.

Het was de eerste zitting van het Volkstribunaal. De Hond zat in de zaal, samen met mensen die we niet kenden. Een man stormde op ons af, duwde de bewakers weg en begon Ashraf te slaan en schreeuwde: 'Vuile moordenaar!'

Hij was een naast familielid van een van de besmette kinderen. De Hond manipuleerde de gezinnen van de kinderen door hen ervan te overtuigen dat wij allemaal verantwoordelijk waren voor hun lijden.

We hadden niemand die ons vertegenwoordigde, geen vertaler en natuurlijk geen Bulgaarse advocaat.

Een officier van justitie las de aanklacht voor, Ashraf deed zijn uiterste best het belangrijkste te vertalen, maar we begrepen er niet veel van. Behalve dat we bij voorbaat veroordeeld waren, want de officier van justitie beschuldigde ons inderdaad van een misdaad tegen de Libische Staat. Een van de vele leugens.

Uiteindelijk kregen we het woord en mochten we verklaren: 'We zijn onschuldig!'

Niemand wilde naar ons luisteren. Ik had het gevoel dat we alleen waren in een reusachtige woestijn en dat onze stemmen verloren gingen in het zand.

En de officier van justitie eiste de doodstraf. De dood.

Ik voelde niets. Ik zat in die zaal als toeschouwster... Dit alles ging niet over mij. Ik weigerde het te accepteren. Ik wist dat ik, wat ik ook fout had gedaan, dit lot niet verdiende. Nooit. Het ging niet om de uitvoering van het vonnis, maar om het feit dat we bij voorbaat schuldig waren verklaard, als monsters die god noch gebod kenden, nota bene in een land waarvan de wet martelen toestaat.

De eerste minister zelf, Ivan Kostov, vroeg zich op de Bulgaarse televisie af: 'En als ze nu eens schuldig zijn?'

Had de Libische propaganda, waarin wij werden afgeschilderd als verdorven vrouwen die in staat waren om uit lafheid en hebzucht kinderen te doden, ook in ons land een luisterend oor gevonden?

Sommige diplomaten bazuinden waanzinnige praatjes rond, hoofdzakelijk over mij. Al in 1999 had een van mijn vriendinnen, die in Oslo woont, aan een ambassademedewerker gevraagd waarom ik was gearresteerd.

De functionaris, wiens vorige post uitgerekend Tripoli was geweest, had geantwoord: 'We kunnen er niets aan doen. Het gaat om een prostituee die de hele dag op het strand ligt te bakken op zoek naar minnaars.'

Deze mij onbekende man vertelde walgelijke dingen over mij, terwijl ik in mijn cel lag te creperen van de pijn. Hij had waarschijnlijk de geruchten gehoord die de Hond had verspreid; volgens hem had ik met alle mannen 'geslapen' die op de foto's stonden die ik als aandenken bewaarde, en waarom niet met de halve stad?

Vervolgens waren er mensen die vanuit hun zogenaamde 'integriteit', schermend met hun preutsheid, mij aan de schandpaal nagelden.

Ze hielden geen rekening met het enige wat ertoe deed: of iemand nu goed of slecht, sympathiek of onsympathiek was, of het nu om mij of de andere meisjes ging, we hadden niets te maken met de aidsepidemie in Benghazi.

Als we bijvoorbeeld schuldig waren geweest aan alcoholgebruik of illegale deviezenhandel, dan hadden we Libië in het ergste geval in 2002 kunnen verlaten. Zonder martelingen of elektriciteit.

Maar Libië had problemen op binnen- en buitenlands gebied die opgelost moesten worden. Het had gijzelaars nodig. Wat we in feite waren. Een menselijke dekmantel. Ons land heeft er lang over gedaan om dit te begrijpen. We zijn de duurste gijzelaars ter wereld geworden.

Een jaar lang hebben we geen advocaat gehad om ons te verdedigen. En toen we er eindelijk een kregen, was het een Libiër! Ik weet dat de Libische wet een buitenlandse advocaat verbiedt zolang het 'onderzoek' niet is afgesloten. En dat de Hond en zijn handlangers de zaak zolang het hun uitkwam lieten voortslepen. Alleen, het ging om martelingen en niet om een onderzoek. Het heeft lang geduurd voordat er in Bulgarije eindelijk over martelingen werd gesproken. De zo vaak aangehaalde diplomatie en bilaterale betrekkingen tussen beide landen leken buitengewoon veel op de grepen van een notenkraker waartussen wij vermorzeld konden worden.

Toen die Libische advocaat verscheen, kort voordat we voor de eerste keer werden veroordeeld, deed hij niet veel en wantrouwde ik hem. De tweede keer kwetste hij ons door zonder slag of stoot tegenover Nasya te verklaren: 'Al hebben ze je geslagen, hoe kun je bekennen en dergelijke dingen zeggen als ze je ervan beschuldigen kinderen te hebben willen doden?'

Een kwestie van cultuur waarschijnlijk? Is het in Libië de gewoonte alle gevangenen te slaan? Jazeker. Nasya is zozeer gemarteld dat ze heeft geprobeerd zelfmoord te plegen!

De opmerking van de advocaat kwam op ons over als de zoveelste uiting van wreedheid. Hij wist waarschijnlijk niet wat het is om gemarteld te worden.

Ik diende als tolk voor de andere meisjes. De advocaat sprak Engels en ik vertaalde het in het Bulgaars. Zijn opmerking was niet aan mij persoonlijk gericht, maar ik voelde me er hetzelfde onder als de anderen.

Het honorarium van de Libische advocaat werd door de ambassade van Bulgarije betaald. Naar het schijnt had hij een goede reputatie. Ik wist dat hij ervaring had opgedaan in vergelijkbare processen. Maar hij verzweeg veel. In het begin voelde ik dat hij een soort zelfcensuur toepaste, omdat hij

Libiër was. Hij moest zijn familie beschermen, hij was bang dat hun iets zou overkomen, dat was duidelijk. Vervolgens veranderde zijn gedrag. Hij maakte dit soort opmerkingen niet meer en we begrepen dat het tot hem was doorgedrongen wat wij hadden moeten doorstaan. Sterker nog, telkens zei hij: 'Als jullie schuldig waren geweest, had ik nooit de verdediging op me genomen.'

Hij kwam niet vaak, tweemaal per jaar ongeveer, wat niet veel was voor ter dood veroordeelden.

Daarna kregen we bezoek van een hoge Bulgaarse rechter. Hiervoor werden we naar het kantoor van het hoofd van de centrale onderzoeksdienst gebracht. Hij zat in de stoel van de Generaal. Onze rechter was een oude man en had ongetwijfeld veel ervaring, maar hij zweeg. Hij deed alleen zijn mond open om te mompelen: 'Ik kan u niets zeggen. Ik heb niet het recht inhoudelijk op de zaak in te gaan. Ik verzoek u er evenmin over te spreken.'

Dus had ik het ergens anders over. Ik dacht eraan dat Zdravko geen deken had en vroeg er een. De nieuwe politie-chef vond het goed. Later, toen de broer van Zdravko naar zijn gezondheid vroeg, antwoordde de edelachtbare magistraat: 'Ik had mijn bril niet op, ik kon het niet goed zien.' Misschien was het waar.

Op 6 april 2000 is Hristo Danov gekomen, een afgezant ge-stuurd door president Petar Stojanov. Voor deze gelegenheid werden we overgebracht naar een van de speciale ruimten van het parket. Danov zei tegen ons: 'Er staat jullie een zware be-proeving te wachten. Jullie treffen het niet.'

Toen hij vertrok en mij een hand gaf, heb ik hem kunnen toefluisteren: 'Er klopt helemaal niets van die aanklachten. We zijn gemarteld met behulp van elektriciteit.'

'Ik weet het. Ik weet meer dan jullie vermoeden.' Toen de gezant van de president weer terug was in Bulgarije, werd daar voor het eerst bekendgemaakt dat we waren gemarteld.

Communiqué van Hristo Danov, afgezant van president Petar Stojanov tijdens de persconferentie, aanwezig in Tripoli van 1 tot 9 april.

Op 6 april heeft advocaat Danov tijdens zijn bezoek in Tripoli kennisgenomen van het feit dat de zes gevangengenomen Bulgaarse verpleegsters beweren martelingen te hebben ondergaan. Hij heeft aangegeven dat ze niet hebben verteld waar het precies om ging. Hij heeft verklaard dat het hardhandige optreden dat de Bulgaarse verpleegsters hebben moeten doorstaan schering en inslag is in de Arabische landen, want de wet staat in die landen marteling toe als de staatsveiligheid in het geding is. Ondanks de martelingen hebben de Bulgaarse verpleegsters zich tijdens het vooronderzoek niet schuldig verklaard, stelde advocaat Danov. Hij heeft hun geadviseerd die versie van de feiten voor de rechtbank vol te houden, want overeenkomstig de Libische wet zijn er indien de verdachte schuld bekent geen getuigenverhoren nodig en wordt er onmiddellijk uitspraak gedaan.

Volgens advocaat Danov is de aanklacht jegens de Bulgaarse verpleegsters zeer ernstig.

Behalve de beschuldiging van het besmetten met aids van 393 Libische kinderen, worden de Bulgaarse verpleegsters verdacht van het oprichten van een groep die samenzweert tegen het Libische regime om ernstige schade aan het land toe te brengen. Met andere woorden: het betreft een zaak die de staatsveiligheid ernstig in gevaar brengt en hierop staat de doodstraf. Danov is van mening dat het in dit opzicht een po-

*litieke zaak is. De andere elementen van de aanklacht zijn
van minder belang. Het betreft overspel, alcoholgebruik in
het openbaar en illegale deviezenhandel.*

*Volgens hem verkeerden de Bulgaarse verpleegsters in een
goede gezondheid. De Libische autoriteiten hebben beloofd
snel een medisch onderzoek te laten verrichten op uitdrukkelijk verzoek van de ambassadeur in Tripoli, Ludmil Spassov.*

*Danov wil niet op het vonnis vooruitlopen, maar beschouwt
de kans op vrijspraak erg groot, en hij blijft optimistisch over
het verloop van het proces.*

*De afgezant van de president heeft verklaard dat het ge-
sprek tussen de staatshoofden Petar Stojanov en Muammar
Kadhaffi tot grote tevredenheid was verlopen en de kans op
een openbaar en eerlijk proces ten stelligste had verhoogd.*

*Danov heeft de families van de beschuldigde Bulgaarse ver-
pleegsters die tegen de traagheid van de procedure hadden ge-
protesteerd, gerustgesteld en verklaard dat processen in
Bulgarije ook jaren duurden.*

Tijdens de ontmoeting met Danov was ik erg bezorgd om
Zdravko. Ik had hem twee maanden niet gezien. Hij was in die
korte tijd veel ouder geworden, hij leek onder invloed van
drugs te zijn en er lag een lege blik in zijn ogen. Ik drukte zijn
lusteloze hand zo hard dat deze blauw werd. Hij zweeg gelaten. Ineens was deze man een vreemde, een zombie, een lege
huls; hij was elders.

Ik wist niet dat hij zijn minuscule cel deelde met een horde
ratten. Ik wist niet dat hij nooit licht zag en dit plotselinge
zonlicht een schok voor hem was. Ik wist niet dat hij zich alleen op geluid moest oriënteren. Ik wist niet dat hij in die
kleine ruimte ijsbeerde om de tijd te doden. Ik wist niet dat hij
steeds meer zenuwtrekken kreeg.

Ik wist het niet en kon het niet begrijpen. Ik stelde vast dat hij kapot was gemaakt.

Fragment uit de getuigenverklaring van dokter Zdravko Giordiev, mijn man, over de geestelijke en lichamelijke martelingen die hij heeft ondergaan:

[...] In de nacht van 19 februari 1999 werd ik meegenomen naar de afdeling criminaliteit van Tripoli. Ik werd onmiddellijk het kantoor van generaal Arb Derbal binnengeleid. Daar waren ook Djuma Micheri en apotheker Abdul Madjid Shol. De generaal nam een grote stok en begon me er mee te slaan, op mijn hoofd en op mijn lichaam. Hij ging tegen me tekeer.

Ik wist niet waarvan ik werd beschuldigd en ook niet wat ze van me wilden.

Vervolgens zei hij telkens in het Engels: 'De waarheid, niets dan de waarheid.' Ik vroeg me af welke waarheid hij wilde weten.

Het was de enige keer dat ik bij de politie ben geslagen. De psychische martelingen waren echter verschrikkelijk. Ik werd honderddertig dagen lang opgesloten in een isoleercel, helemaal alleen, onder de grond, zonder één straaltje zon.

Het stonk er naar urine en uitwerpselen. Geen wc en geen water. De muren zaten vol bloed en uitwerpselen.

Het was er koud, ik sliep op de grond, zonder deken en in gezelschap van enorme ratten en muizen.

Ik hoorde ondraaglijk geschreeuw waar geen eind aan kwam. Ik werd nergens van beschuldigd. Ze vroegen me over mijn leven, mijn vrienden, mijn kennissen en mijn vrouw. De grootste sadisten waren Abdul Madjid en de tolk Idriss. Ze noemden mijn vrouw en de andere meisjes 'hoeren', 'prostituees' en 'gifmengsters'.

Ze scholden op de hele Bulgaarse natie en de christelijke wereld.

Hun meest gebruikte woorden waren: 'varkens, judassen!'

Ik heb me twee maanden lang niet gewassen, geschoren, mijn haren geknipt en me ook niet verschoond. Ik leek wel een wild beest. Ze gaven me een stuk of drie lepels macaroni per dag, ik werd een geraamte, ik kon de trappen niet meer opkomen.

Pas in juli 1999 hoorde ik van de Libische procureur-generaal dat ik ervan werd beschuldigd een complot tegen de staat te hebben gesmeed, kinderen in het kinderziekenhuis met behulp van met aids besmette injectiespuiten te hebben ingeënt en nog heel wat andere misdrijven te hebben begaan.

Ze dwongen me paginalange documenten te ondertekenen zonder dat ik wist wat erin stond en ik werd geblinddoekt in de kofferbak van een auto naar het parket gebracht. Toen ik weigerde te ondertekenen, dreigden ze mijn vrouw te doden, en heb ik het wel gedaan.

In juli 1999 werd ik in de gevangenis Djoudeida gegooid.

Ik heb elf maanden in een eenpersoonscel gezeten, op de verdieping van de ter dood veroordeelden. De cel was een meter zeventig bij een meter negentig. We zaten er met minstens drie en soms wel acht personen. Je kon er niet zitten. In de zomer was het er ondraaglijk heet, in de winter was het koud en vochtig.

We zaten vierentwintig uur per dag opgesloten. Driemaal per dag werd de deur geopend en werd er wat eten in een bakje gedaan. Wat macaroni, rijst en een beetje water. In een hoek zat een gat dat als wc diende.

In de winter was het gat vaak verstopt. We deden onze behoefte in een plastic kom die iedere dag werd leeggemaakt.

De stank was vreselijk. Geen zeep of schoon goed, alleen wat kraanwater, daar moest ik het mee doen.

Ik mocht geen bezoek ontvangen, zelfs niet van een advocaat. Sommige politiemensen sloegen of schopten me met hun met ijzer beslagen laarzen.

Ze noemden me 'smerig christenvarken' en 'moordenaar'.

Mijn huid was één grote etterende wond. Ik krabde me en had onophoudelijk pijn, het was ondraaglijk.

In mei 2000 werd ik overgebracht naar een andere isoleercel.

Pas tegen het einde van het jaar, na een hartaanval en andere complicaties, werd ik naar een arts gebracht, geboeid in ketenen van minstens tien kilo.

Ik was volledig uitgeput. Ik wilde sterven, ik wilde dat alles afgelopen was.

Tijdens de enige behandeling bij de tandarts, waar ik samen met andere gevangenen heen werd gebracht, begonnen de politiemensen midden in de polikliniek met hun pistolen te schieten. Zes mensen die probeerden te vluchten raakten ernstig gewond. Ik had niets gedaan en werd toch met een pistool op mijn slaap staande gehouden.

In mei 2001 werd ik overgebracht naar het hoofdgebouw van de gevangenis Djoudeida. Zevenhonderd dagen lang heb ik de zon alleen maar gezien als ik naar de rechtbank werd gebracht.

Hier konden we overdag naar de binnenplaats gaan, dat was het enige voordeel van deze overplaatsing. In de cel van zestig vierkante meter zaten minstens vijfenzestig mensen. Weer zo'n gat dat dienst deed als wc. We sliepen op onze hurken. Soms waren er 'strafacties', waarbij we werden geslagen met stokken en kabels, we werden geschopt en ze rosten ons af terwijl we op de grond lagen, sprongen boven op ons en gingen door totdat we bewusteloos raakten.

Het is de waarheid. Ik heb dit echt meegemaakt. Ik ben wellicht veel vergeten, heb veel niet opgeschreven. Maar ik heb niets overdreven.

Ondertekend: ...

10-02-2003

Tripoli, voor echt verklaard door de ambassade van Bulgarije. De consul – Serguei Yankov.

Ik wist daar allemaal niets van. Deze verklaring werd pas drie jaar na de gebeurtenissen opgetekend. Maar als ik het gezicht van mijn man bekeek, vond ik niets meer van hem terug. Zdravko, waar ben je? Ik zag er waarschijnlijk ook verward uit, had vast ook een afwezige blik als ik terugkwam van de martelingen. En omdat mijn man niet sprak, vroeg ik me af of hij wel hoorde wat advocaat Danov zei.

Deze was niet optimistisch.

Optimisme of niet, ik moest aan mijn moeder denken, die altijd zei dat er voor ieder probleem een oplossing was. Ik ben als zij. In dat deel van ons rampzalige avontuur wist ik al wat overleven was, dus kon ik kon mijn hoofd oprichten en tegen mezelf zeggen: Kristiana, houd vol. Vanaf nu ga je van dag tot dag leven, je ergens mee bezighouden, daar in de gevangenis, het doet er niet toe met wat. Het belangrijkste is niet te bezwijken; ooit moet er wel iets gebeuren.

Maar het heeft erg lang geduurd voordat er iets gebeurde. Te lang.

11

EEN ECHTE GEVANGENIS

Er ging sinds enige tijd het gerucht dat we zouden worden overgeplaatst.

Kort na het vertrek van de afgezant van de president kregen we het bevel ons boeltje te pakken. Omdat we niet veel hadden, waren we snel klaar.

Ik had vijfenveertig dagen lang de kleren aangehouden die ik droeg op de dag van mijn ontvoering, zonder ze te kunnen wassen. Twee of drie dagen later had de Hond bij een bezoek aan mijn appartement wasgoed meegenomen dat hing te drogen. Twee pyjama's, een trui en twee slipjes. Ik had hem niets gevraagd, hij ging blijkbaar zo vaak als hij wilde naar mijn woning. Hij smeet ze in mijn cel met een paar sloffen die niet van mij waren.

Omdat douchen voor ons verboden was, had ik alles vijfenveertig dagen lang niet aangeraakt om het niet vuil te maken. Gewoonlijk transpireer ik niet, maar door de angst die zich steeds meer meester van me maakte rook ik naar een dier.

Ik trok alleen een schone slip aan. De vuile slip waste ik zonder zeep heel vlug onder de koude kraan en liet hem drogen. Toen ik rond 25 maart toestemming kreeg om me te wassen, heb ik schone kleren kunnen aantrekken en mijn tan-

den kunnen poetsen. Ik weet niet meer hoe ik aan de tanden-
borstel kwam.

Ik heb de hele zomer met twee pyjama's en twee slipjes gedaan.

In oktober had de diplomaat pakjes van onze families meegebracht. In het mijne zat helaas niet veel; mijn man zat in de
gevangenis en mijn moeder had te weinig tijd gehad. Ze werd
waarschijnlijk pas op het laatste ogenblik gewaarschuwd.

Ik kreeg alleen maar een slip, een handdoek en maandverband. Een soort noodhulp van de ambassade. Nasya had van
haar schoonmoeder een witte wollen trui gekregen, die ze
voor haar had gebreid. Omdat ze al een jack had dat ze aan had
bij haar arrestatie, gaf ze mij de trui.

Onze schamele bagage werd samengeperst in zwarte vuilnis-
zakken en we moesten in een busje stappen. Richting nieuwe
gevangenis. Niet ongelukkig ons geheime verblijf in de politiehondenschool te verlaten.

De documenten voor onze overplaatsing bleken niet te kloppen, waarna we voor een dag werden teruggestuurd. Veel later
ben ik te weten gekomen dat het gedoe rond onze papieren het
gevolg was van onze geheime opsluiting in de politiehondenschool, een jaar en twee maanden lang.

Bij ons vertrek had chef Selim tranen in zijn ogen toen hij
ons naar de uitgang bracht. En de zatlap voor wie ik kookte
zei: 'Karam' (gezondigd).

Ze wisten allebei waar we naartoe gingen.

Het was de eerste keer dat ik een gevangenis van binnenuit
zag. Alle scherpe voorwerpen werden afgenomen, ook een stukje van een spiegel. We werden in eenpersoonscellen gestopt.

Mijn nieuwe verblijf was een 'luxe' gevangenis in vergelijking
met de vorige. Een 'ruime' cel die vol was als Nasya, Snezhana
en ik op de grond gingen liggen.

Tijdens de eerste negen dagen trok de hele gevangenis aan onze cel voorbij om ons te zien.

Wie waren wij? Legendarische figuren?

De vrouwen die de aidsbesmetting op hun geweten hadden?

Vervolgens werden we in een soort 'huis' geplaatst binnen de muren van de gevangenis, dat vermoedelijk diende om mensen af te zonderen. Er stond een bord voor de deur: 'Kindermoord met voorbedachten rade.'

We hadden niet het recht met andere gedetineerden te spreken, noch om naar buiten te gaan. Zelfs niet naar de wc. Het was een vertrek van ongeveer vijfentwintig vierkante meter, wat ruim was, van bijna Europese afmetingen. Een uitzondering, want op datzelfde moment deelde Zdravko een cel van twee vierkante meter met zes gedetineerden. Daarna werd hij overgebracht naar een ruimte van veertig vierkante meter voor zeventig personen, wat vijftig vierkante centimeter per persoon inhield. Hij heeft ons verteld dat hij zittend tegen de muur sliep, met opgetrokken benen.

De luchtplaats, een ruimte van vijftien bij vijftien meter, was één grote modderpoel vol uitwerpselen. We werden erheen gebracht om even in de 'frisse lucht te zijn', rond lunchtijd, wanneer het buiten 45 graden was.

Enorme ratten, dik als puppy's, sprongen uit de luchtschachten de binnenplaats op. We werden tot een soort krachtmeting gedwongen. Om ze uit de weg te gaan moesten we tot onze enkels door de smerige plassen waden. Het kraanwater van de binnenplaats braakte wormen uit. Het water in de cel was zout.

Daar, tussen de vuiligheid, heb ik Mabrouka ontmoet, wegens moord veroordeeld tot vijftien jaar gevangenschap, een jonge moeder van vijf kinderen die al lange tijd opgesloten zat. Ze zorgde voor de proviand, en daarom was een goede relatie met haar van groot belang. Ze gaf ons fruit, eieren en nog veel meer onmisbare dingen. Ze bracht ons maandverband. Mabrouka was autoritair en sterk, en we waren maar al te blij onder haar bescherming te staan. Valya was bevriend met haar geraakt en verbleef graag in haar buurt. De hele gevangenis gehoorzaamde aan Mabrouka; zij was de leidster die de regels kende en toepaste, maar die ook wist hoe ze te overtreden. Ze had een hekel aan drugs en rookte niet, wat de reden was waarom de directie haar deze leidinggevende taak had toebedeeld. In het begin sliepen we op het beton. Daarna hebben Nasya en ik om beurten op een zeer dunne matras geslapen.

We bedelden de hele tijd om sigaretten. Meestal rookten we de peuken van anderen. In de gevangenis ben je nergens vies van. En waar een sigaret vandaan komt, daar heb je lak aan... Zo hebben we gretig de peuk van een seropositieve Libische vrouw opgerookt. Ik weet het nog goed. Een verschrompelde, stinkende peuk doordrenkt met speeksel. Maar het was de enige en dus kostbare peuk, en dat het filter hoogstwaarschijnlijk besmet was telde niet. Het was hoe dan ook overal smerig. In de weerzinwekkende plassen water, de uitwerpselen van de ratten, enzovoort. En in de gevangenis wordt een sigaret bijna een obsessie. Het is een 'stut' die voor één minuut minder stress en angst zorgt.

Dankzij een fooi is het ons gelukt om stiekem aan een kooktoestel te komen om water te verwarmen. En we hebben door het roostertje in de deur kennisgemaakt met onze buren.

Rabya was een van de honderddertig vrouwelijke gevangenen van Djoudeida. Ze zat een straf van vier jaar uit voor overspel, want ze was bevallen van een kind van haar oom. Dat was de officiële lezing, maar ze beweerde een verhouding te hebben gehad met een tuinman van Egyptische afkomst. Of het in werkelijkheid nu om incest of een verboden verhouding ging, haar kind, Mohammed, groeide op in de gevangenis.

Rabya was de enige Libische die om vier uur 's ochtends bad en drie hele maanden lang overdag niet at of dronk. Ik heb gevraagd waarom en haar antwoord was duidelijk: 'Ik doe het voor Mohammed.'

Ik mocht Rabya wel, want toen het gerucht van de 'kindermoord van Benghazi' in de gevangenis de ronde deed, kwam ze naar ons toe en reikte door de tralies haar kind aan om ons wat te troosten. Ik zie haar nog voor me, hoe ze met haar armen opgeheven naar de tralies haar baby optilde zodat wij hem over zijn hoofd konden aaien. Dit gebaar bracht ons tot elkaar. Ze vertrouwde ons en was niet bang. Ze hielp ons zo goed als ze kon. Ze hing vaak bij de voedselvoorraad rond en verstopte altijd wel wat voor ons. Het is haar een keer gelukt om ons een hele kip te brengen!

Het was de eerste keer dat ik voor vijf personen kookte. Een gestolen kip op een 'verboden' kooktoestel.

Ik heb de kip gevuld met gesmolten kaas en op plastic borden opgediend. Ze hadden nog nooit op die manier kip gegeten. In hun ogen verstrekte ik een eersteklas maaltijd, een gerecht dat ze zelfs in vrijheid nog nooit hadden gehad.

Het tweede luxeartikel was de radio, een cadeau van een gevangene. We luisterden in het geheim naar 'Vrij Europa' en 'Bulgaria'. Het was ons eerste contact met de buitenwereld sinds twee jaar. Nasya was onze verbindingsofficier; zij wist hoe je de juiste frequenties kon vinden.

Het eerste belangrijke bericht dat we op de radio hoorden was de schipbreuk van de onderzeeër Koersk. Hun onderzeese gevangenis was erger dan de onze.

Ergens stierven mensen. Voor niets.

Op 11 september 2001 klonk er gebrul door de gevangenis. Een bewaakster schreeuwde: 'Amerika staat in brand!' We zetten snel de radio aan en hoorden het nieuws in het Russisch. We konden onze oren niet geloven. Nasya zei telkens weer: 'Het is toch niet geloven? Het lijkt wel een scenario voor een sciencefictionfilm!'

De bewaakster genoot ervan het nieuws in de gangen te verspreiden, want ze was de eerste die het had gehoord. Ze was er een beetje trots op.

Overal in de wereld stierven mensen terwijl wij in Libië in de ellende zaten. We leefden nog steeds. Ik haalde me ander menselijk lijden voor de geest, afschrikwekkender dan dat van ons. Ik dacht aan concentratiekampen, weeskinderen, moeders van wie de kinderen waren opgegeven en ieder ogenblik konden sterven. Aan iedereen die onrechtvaardig ten onder ging door andermans schuld.

In acht jaar heb ik niet één traan gelaten, behalve voor zwakke, hulpeloze, door God verlaten mensen.

De Libiërs hadden heel goed begrepen hoe ik mentaal functioneerde. Zelfs als ze mijn cel doorzochten, bleef ik slapen. Onverschillig voor dat circus van hen. We hadden ergens een mesje opgescharreld en ik had het onder een plank van een heel klein kastje verstopt. De sigaretten, waarvoor harde onderhandelingen waren gevoerd met andere gevangenen, waren eveneens verborgen. Als de bewaker ze zou vinden, pakte hij ze van ons af, want hij wilde ze ook wel hebben. En dan heb ik het nog niet eens over de pesterijen waarmee alles gepaard ging. De gevangenispolitie maakte geen indruk meer op me; na jaren als kop van jut te hebben gediend was ik allang aan de gebruiken van de gevangenis gewend. Ik paste me aan de omstandigheden aan.

De anderen waren bang. Ze kenden gevallen waarbij politiemensen de beschuldigden naast elkaar tegen de muur zetten en hun geweren op hen leegschoten. Dat overkwam ons niet. We konden de doodstraf krijgen, maar officieel waren we nog niet veroordeeld.

We overleefden dankzij de sigaretten en de radio. Soms hoorden we dat er in Bulgarije over ons werd gesproken. Koning Simeon van Saksen-Coburg-Gotha was naar het land teruggekeerd en ambieerde de functie van eerste minister. Ik herinner me zijn woorden: 'Ik betreur het lot van de Bulgaarse verpleegsters. Ik hoop dat ze niet het wisselgeld worden van een politiek spelletje achter de coulissen.'

De tijd ging voorbij. Onze zaak sleepte zich voort van regering tot regering. Wat ons langzaam kapotmaakte was de onzekerheid. We wisten niet meer welke plaats we in de hele geschiedenis innamen en waar een ontsnappingsmogelijkheid was... Er moest er wel een zijn.

Ik heb begrepen dat je iets moet zoeken om mee bezig te zijn, wil je de gevangenis overleven, anders duren de dagen eindeloos en zijn de nachten nog erger. Je moet een invulling vinden voor het bestaan tussen vier muren. Zo niet, dan stort je in, dan slaan de stoppen door.

Geen tv, boeken, kranten, nauwelijks sigaretten. Te veel tijd: hoe die door te komen? Daar is wilskracht en verbeelding voor nodig.

Het eerste jaar zat ik voortdurend te peinzen. De wond was nog vers. Ik had al zo veel teleurstellingen moeten verwerken. Ik vroeg me steeds weer af: waarom?

Ik piekerde niet zozeer over het scenario waarin ik figureerde, als wel over de mensen die, zo had ik al snel begrepen, me hadden laten vallen. Ik had me vergist, mijn waardering voor hen was onterecht. Ik beschouwde mezelf als een realistisch mens die een ander goed kon inschatten, en ik meende dat de mensen om me heen van waarde waren. Fout. Ik moest in de gevangenis terechtkomen om deze kapitale blunder in te zien. Foute benadering, foute verwachtingen van anderen.

Ik hielp vaak. Ik had veel bekenden in Benghazi en mijn leven was niet moeilijk. Afhoudend was ik allerminst.

Ik weigerde nooit hulp te bieden aan een landgenoot zonder geld of in de problemen. Ik gaf graag wat ik had.

Toen Zdravko ver van Benghazi ging werken, heb ik Zvezda leren kennen, een laboratoriumassistente, en haar twintigjarige dochter Iva.

We raakten al snel bevriend en kwamen bij elkaar over de vloer.

Haar dochter ging aan de universiteit studeren en ik heb haar gevraagd bij ons te komen wonen. Ze kon niet iedere dag al die kilometers afleggen en ze wilde niet alleen wonen.

Iva is zeven maanden bij ons gebleven. Het was een prettig, bescheiden meisje en ze studeerde hard.

Ik behandelde haar hetzelfde als mijn zoon. We noemden haar 'de baby'.

Zvezda, haar moeder, had besloten in Benghazi te komen wonen. Ik heb aan dokter Saad gevraagd haar te helpen en hij vond een gloednieuwe tweekamerwoning voor haar. Ik heb voor de nodige papieren gezorgd en vervolgens zijn ze verhuisd. Daarna heeft Zdravko zich ervoor ingezet dat Iva in Sofia kon doorstuderen.

We hebben gedaan wat we konden. Zvezda was hartelijk, altijd blij me te zien en gastvrij. Ik heb bij haar nooit iets van jaloersheid gemerkt.

Om van de politie af te komen heeft dezelfde Zvezda me uitgemaakt voor 'slecht, losbandig en oneerlijk'!

Ze hoefde niet dankbaar te zijn, maar dit verraad verdiende ik evenmin.

Hetzelfde geldt voor Nadejda. We waren collega's in Sofia. Een perfecte, zeer nauwgezette verpleegkundige. Ze wilde in Libië komen werken en ik heb haar geholpen. Nadat dokter Saad in Bulgarije met haar had gesproken ging hij akkoord. Korte tijd later kwam ze aan. Alles is zeer snel gegaan omdat Saad wist dat ze mijn vriendin was. Ik had haar met een gerust geweten aanbevolen, want ze kon goed leiding geven. We hebben haar ondergebracht in een appartement met drie slaapkamers, een huiskamer en een keuken, waar slechts drie verpleegkundigen woonden. Het was volledig gemeubileerd en ze hoefde geen kosten te maken. Er waren niet veel Bulgaarse verpleegsters die zo'n geluk hadden. Een woning was vaak een hok met problemen vanaf de eerste dag.

Bulgaren accepteerden slechte omstandigheden en ongunstige contracten. Alle Oost-Europese vrouwen kwamen naar Libië zonder Engels te spreken en al helemaal geen Arabisch. Maar er was wel degelijk een enorm verschil tussen Bulgaarse, Poolse en Hongaarse vrouwen.

Ik herinner me een groep van dertig Hongaarse verpleegkundigen. Ze bekeken de woning die hen werd aangeboden en verklaarden dat ze zo'n ellendig verblijf niet accepteerden. Het bemiddelingsbureau betaalde de terugreis naar Hongarije en slechts drie van hen zijn in Libië gebleven.

De Poolse vrouwen gedroegen zich op dezelfde manier. Het regende twee jaar lang klachten en protesten en op een dag hebben hun bemiddelingsbureaus ervan afgezien nog personeel naar Libië te sturen.

In 1992 zijn bijna alle Joegoslavische vrouwen naar hun land teruggekeerd met de mededeling dat ze daar beter de kost verdienden.

Met betrekking tot onze arrestatie hebben Poolse vrouwen gezegd: 'Als ons dat was overkomen, hadden we een beroep op de paus gedaan.'

Omdat ik een vreemde taal sprak, was ik een uitzondering onder mijn Bulgaarse landgenoten. Filippijnse vrouwen spraken Engels en hadden als verpleegkundigen een zekere status. Zij bepaalden de werkvoorschriften volgens andere criteria dan wij. Een Filippijnse met vier jaar ervaring verdiende tweemaal zoveel als een Bulgaarse verpleegster met twintig jaar ervaring.

Dat was hun positie; een groot verschil met die van ons. Om onze positie te verbeteren moesten we solidair zijn.

Ik heb voor Nadejda alles gedaan om het haar zo prettig mogelijk te maken. Voor haar eten hoefde ze ook niet te betalen. Ik deed inkopen in staatswinkels, al had ik daar officieel niet het recht toe. Ik kocht grote zakken rijst, macaroni, meel, en betaalde voor dat alles heel wat minder dan in gewone winkels. Ik kocht in en deelde overal om me heen uit. Ik gaf de helft van mijn inkopen aan Nadejda alsof ze mijn zus was.

Ik voelde me verantwoordelijk omdat ik haar had aanbevolen. Ik wilde niet dat ze teleurgesteld raakte, maar dat ze al haar energie in haar werk stak. Aanvankelijk koesterden sommigen minachting voor haar omdat ze geen Engels sprak. Ze is in hun achting gestegen toen ze zagen dat ze tussen twee operaties door in plaats van koffie te gaan drinken en te roken, het steriele verband opvouwde. Ze vond altijd wel iets om te doen. Korte tijd later deden trouwens alle chirurgen een beroep op haar. Als verpleegkundige heeft ze niemand teleurgesteld, maar als mens heeft ze me versteld doen staan.

Achtenhalf jaar lang, tijdens mijn hele gevangenschap, heeft ze niets van zich laten horen. Er waren momenten dat ik niets had om aan te trekken, en ik niet eens een stukje zeep had. Ik had niets meer. Ik verwachtte niet eens een pakje. Alleen een kaart, een woord, een teken, steun. Iets...

Niets. Jarenlang.

Hetzelfde geldt voor dokter Stanko, die een paar jaar na mij in Benghazi aankwam met zijn echtgenote. Eveneens Bulgaars. We raakten bevriend en ik werd op hun verzoek peettante van hun kind. Ik werd voor altijd in hun familie opgenomen.

Al die jaren geen teken.

Er was niemand meer om me heen...

In de gevangenis had ik ineens geen vrienden meer. Omdat ik de mensen niet meer voor een zacht prijsje macaroni kon leveren of kon uitnodigen en wat afleiding kon bieden. Ik zat in de gevangenis, en nu had ik hén nodig.

Maar wie bekommerde zich om mij?

Ik had alle tijd om te proberen dit raadsel op te lossen. Waarom hebben uitgerekend de mensen voor wie ik me zo had ingezet, me als eersten in de steek gelaten?

Ik weet zeker dat het mijn eigen schuld is.

Ik heb tienmaal zoveel gegeven als goed voor ons was. Niemand vroeg om zoveel, onbewust zijn ze zich hulpeloos gaan voelen en hebben ze het me kwalijk genomen dat ik me beter redde dan zij. Er wordt weleens gezegd: 'Stank voor dank.' En dat klopt.

Toen kwam er een brief uit Bulgarije van de twintigjarige, mij onbekende Genia. Het was haar gelukt me een kort briefje te sturen.

Zeven jaar lang is ze me blijven schrijven en bemoedigen. Ze zei dat ik haar pepmiddel was. Ik, in de gevangenis, een pepmiddel!

Ze toonde me per post haar bewondering en besefte zelf niet eens hoe goed het me deed.

Genia maakte plannen voor Zdravko en mij, voor na onze terugkeer. Ik hield van de denkbeeldige wandelingen en reizen waartoe ze me in haar verhalen uitnodigde.

Ze waren kleurrijk, heel logisch en humoristisch. God heeft me toch in balans weten te houden, toen hij voor al die verraders onverwachte menselijkheid in de plaats stelde.

Het leven verdraagt geen leegte; ieder verlies wordt door iets anders gecompenseerd, en soms is dat iets beters. Ik wist het een van het ander te onderscheiden. En ook al kwam het kwade in de plaats van het goede, ik wist dat het niet voor eeuwig was.

Genia is een vriendin geworden.

Ik had nog andere vrienden van vroeger, maar ik moet toegeven dat het er niet veel waren. Een Poolse die Ermina heette en de Irakese Jasmina.

Ze hebben me nooit verraden. Jasmina was een vrijgezel van zesendertig jaar die het christendom beter kende dan ik en die zich met hart en ziel aan de moslimrituelen wijdde. Ze rookte of dronk niet maar kwam wel op onze avondjes. Ze had een andere levensstijl maar vond dat ze absoluut geen minachting voor ons mocht hebben. Ze had heel wat feesten met veel drank bijgewoond... maar maakte daar de volgende dag geen misplaatste opmerkingen over. Ze was een bijzonder mens, Jasmina! Ze kwam uit een gegoede familie en had door heel Europa gereisd. Je merkte goed dat ze ruim dacht en er een vast geloof op na hield dat ze aan niemand opdrong.

Drie maanden na mijn arrestatie werd ze aangehouden, want ze stond op veel van mijn foto's. Ze heeft twee weken in de gevangenis gezeten. Op een dag bracht de Hond haar in mijn cel en vroeg haar de aanklacht tegen mij van het Arabisch in het Engels te vertalen.

Ze heeft dat gedaan, bleek, doodsbang. Ze herhaalde woord

voor woord wat hij zei, hoe ik gezorgd had voor de aidsepidemie onder de vierhonderd kinderen, mijn relatie tot de Mossad, dat ik een monster was, dat ik een pijnlijke dood verdiende voor het kwaad dat ik om me heen had aangericht.

Ik keek haar recht in de ogen en zei tegen haar: 'Jij kent me zo goed, je weet dat ik niet in staat ben iets dergelijks te doen.'

Ik heb haar in mijn armen genomen en gezegd dat ik van haar hield. Ze huilde stil. Dat was alles. Ik heb haar nooit meer gezien.

Ik heb vernomen dat 'men' haar heeft vrijgelaten. 'Men' had geen moslims nodig.

Gelukkig maar, want anders was ze voor de bijl gegaan.

Godzijdank was ze voor hen van geen enkel nut!

Alles wat ons overkomt is onze eigen fout. Ik begreep alleen niet welke fout ik had gemaakt.

Want net als in veel andere landen, helaas, hoef je in dit land absoluut niet schuldig te zijn om te worden veroordeeld.

12

SAMENLEVEN

Met de komst van de nieuwe directeur, Mohammed Abdallah, veranderde in 2001 de sfeer in onze gevangenis, Djoudeida. Deze man heeft in korte tijd zo veel goeds gedaan, ondanks de moeite die het kost om een compleet overheidssysteem in beweging te krijgen, dat hij het verdient hier te worden genoemd. In het gevangeniswezen verandert nooit wat, in Libië niet en elders niet. Een gevangenis is er niet om zijn bewoners comfort te bieden. Dat is de theorie. Toch redeneerde Mohammed Abdallah anders.

Op 1 september, de verjaardag van de revolutie, heeft hij een orkest laten komen en op de binnenplaats van de gevangenis een feest georganiseerd.

Hij heeft een weefschool en een naaiatelier opgericht.

Ik heb er drie maanden met Nasya gewerkt. We moesten met een sjabloon figuurtjes maken op ondergoed voor kinderen. We kregen effen lakens en kussenslopen aangeleverd. We hadden voorbeelden maar ik voegde er altijd iets persoonlijks aan toe. Ik had een voorbeeld uitgezocht, een baby met een flesje onder een parasolletje op het strand, en ik tekende er een vlinder bij, een vogel die op het parasolletje zat of een bal. De baby was aangekleed, maar ik verzon andere kleren, bijvoorbeeld met stippels, ruiten of bloemen.

Ik heb zelfs een verrassing voor Zdravko gemaakt. Ik heb een kussensloop gekocht en er een beer op getekend en erbij gezet: 'Hallo Zdravko!'

Via een bewaker is het me gelukt hem deze te sturen. Hij stuurde mij op zijn beurt geborduurde snuisterijen die de gevangenen maakten. Voor mij waren dat de kostbaarste dingen ter wereld. Ik heb handschoenen, wanten en een Braziliaanse armband gekregen. Soms lukte het om tegelijkertijd een paar woorden mee te sturen. Ik geloof dat het in twee jaar tijd driemaal is voorgekomen. Een of twee zinnen op een stukje papier dat zomaar ergens van af was gescheurd. Zelfs onder de afschuwelijke omstandigheden waarin hij zich nog altijd bevond, met een ruimte van tachtig centimeter om te slapen en te leven, zag Zdravko nog kans om grapjes te maken. Ik herinner me een stuk papier waarop hij heel klein had geschreven: 'De lunch is zojuist binnengebracht, een chateaubriand voor twee personen.'

Een andere keer was het een heel klein stukje chocolade. 'Ik heb het verstopt om het op de wc op te eten, want als de anderen het zien verslinden ze het met hun ogen.'

Het lukte hem nog steeds me aan het lachen te krijgen. Ik stelde me hem voor met zijn stukje chocolade, in zijn eentje met zestig gevangenen om hem heen. Ik wist dat hij ongelukkig was, maar ook wist ik dat hij om zichzelf kon lachen. We hadden beiden in ieder geval niet de gewoonte om onszelf te beklagen. Hij omdat hij zo intens vriendelijk was, ik vanwege mijn pantser.

In alle gevangenissen ter wereld worden met hulp van de bewakers goederen naar binnen gesmokkeld. In ons geval betrof het hoofdzakelijk sigaretten. Een pakje kostte tussen de vijf en tien dinar. Als we er een week geen hadden, dan rolden we ze met ceylonthee. Wat één grote rookwolk veroorzaakte.

Je moet er wel van hoesten, maar je rookt!

Dezelfde bewakers brachten ook veel drugs binnen. Die konden ze aan ons niet kwijt. Het ging om amfetaminepillen. Een pil kostte twintig dinar, wat erg veel geld is voor een gevangene. Libische vrouwen die drugs gebruikten vroegen ons vaak om een stukje aluminiumfolie en citroen. Hoewel we verpleegkundigen zijn, heeft het toch een poos geduurd voordat we begrepen dat het was om er hun 'heroïnemaal' mee te bereiden.

In de cel naast ons zat een verslaafde, een erg mooi meisje dat we 'de Madonna' noemden. Ze zat voor twee maanden in de isoleercel en weigerde gelucht te worden. Er werd ons verteld dat ze van kop tot teen trilde. Toen ze terugkwam was ze twintig kilo afgevallen en nog slechts een schaduw van zichzelf.

Wat ons betreft, wij brachten onze dagen door met het versieren van lakens en dergelijke met sjablonen. Ik kleurde de baby onder een parasolletje met een speen in zijn mond. Ik werkte geconcentreerd om binnen de lijnen van de tekening te blijven en dacht aan niets anders; ik vergat waar ik was en had plezier in het werk.

Het beddengoed dat we zo hebben verfraaid, ongeveer veertig stuks, werd vervolgens verkocht door de stichting ten bate van weeskinderen tijdens een liefdadigheidsfeest georganiseerd door Aïsja Kadhaffi, de dochter van de kolonel. Ze vroeg wie het had gemaakt. 'De Bulgaarse verpleegsters in de gevangenis van Djoudeida!'

We waren aangenaam verrast te horen dat ons werk werd gewaardeerd. Het was ook dé manier om te tonen dat we niet de monsters waren die ze beschreven.

We hadden ook de mogelijkheid Arabische les te nemen, bestemd voor Libische analfabeten. Ik ging er iedere dag met Valya naartoe en we voelden ons een beetje verloren te midden van ongeveer veertig Libische vrouwen.

Ik heb een talenknobbel, ik leer snel en we dienden als voorbeeld voor de weinig gemotiveerde Libische meisjes. De school was een heerlijke afleiding tijdens het verblijf in de cel, want als ik mijn huiswerk maakte verliep de tijd sneller.

Toen ik op een dag op de binnenplaats de was aan het ophangen was, hoorde ik schreeuwen. De Nigeriaanse gevangenen lagen op de grond en probeerden duidelijk iets tegen de grond te drukken. Dat 'iets' was het Kleintje. Ze werd geslagen. Niemand kon haar te hulp schieten, want 'Oom Tom' stond erbij. Zo werd Julie genoemd, een bendeleidster. Een compleet krankzinnige kolos, een bulldozer die alles op haar weg verpletterde. Wat moesten we doen?

We stonden bewegingloos. Toen het Kleintje weer bijkwam, was ze kwaad. 'Ik word afgemaakt en jullie interesseert het geen moer!'

In feite gaf haar karakter aanleiding tot het gevecht. Toen ze de was ging ophangen, had ze een paar Afrikaanse vrouwen hun behoefte op de binnenplaats zien doen. Ze kon het niet nalaten er een opmerking over te maken.

Toch wist iedereen dat hun wc's al vijf dagen lang verstopt waren en dat ze de directie hadden verzocht om ze te laten repareren. Onderwijl moesten ze de stank van de overlopende wc's verdragen, die vlak bij de plek stonden waar ze sliepen. Ze konden niet anders dan hun behoefte op de binnenplaats doen. Het is een gevangenis, wat moesten ze anders? Ze hadden geen keus of ze moesten in de cel hun behoefte doen. Het Kleintje zou hun weleens goede manieren bijbrengen.

Ze hebben zich massaal op haar geworpen. Waarna Julie

'Oom Tom' haar van afstand bedreigde: *'Next time, I'll kill you!'*

Ik ben met Oom Tom gaan onderhandelen. Ik heb haar gesmeekt de zaak te laten rusten en beloofd dat het Kleintje dit niet meer zou doen. Na eindeloze discussies bond ze vol haat in: 'Oké, maar ik doe het voor jou!'

In de gevangenis moet je je aanpassen om niet te creperen. De Nigeriaanse vrouwen mochten mij, want we babbelden samen in het Engels. Ik voorspelde de toekomst en maakte hen aan het lachen. Als je achter de tralies zit, heeft het geen zin je op de anderen af te reageren, vooral niet in een barbaars, totalitair Afrikaans land waar je vreemdeling bent.

In onze 'Bulgaarse groep' kibbelden we vaak over dagelijkse kleinigheden. Het ging erom wie het grootste stuk eten mocht hebben of wie niet hoefde af te wassen, en ga zo maar door. De een wil lezen, de ander slapen... Je hebt niet veel keus in een cel. Iemand moet toegeven. Nasya was degene die de meeste compromissen accepteerde.

Op een gegeven moment had ik zin om te lezen maar wilde Snezhana geen licht aan hebben. Ze rukte het snoer uit het stopcontact en deed alsof ze me met een waterfles op mijn hoofd wilde slaan. Ik reageerde niet. Ik ben de gang op gegaan en heb daar verder gelezen.

We hadden één bord en één lepel per persoon. Op dat moment wisten we al wie de profiteurs waren en wie bereid was zich voor de anderen op te offeren.

Onderlinge vriendschap was onmogelijk. Als je elkaar mag en goede herinneringen met elkaar deelt, kun je onenigheid overwinnen en elkaar vergeven.

Wij waren alleen samen door de hel gegaan, wat niet voldoende was om een band te scheppen.

We vergaven elkaar de kleinste onvolmaaktheden nog niet eens. Ieder van ons had hulp nodig. We konden en we wilden elkaar niet helpen.

Het Kleintje en Snezhana waren wispelturig en de gevangenis was niet de meest geschikte plaats voor grillen.

Als wij koude kip kregen eiste Snezhana haar deel op om dat zelf klaar te maken, want ze hield niet van mijn bereidingswijze.

Dat was ingewikkeld, want we leefden in dezelfde ruimte, het kooktoestel was clandestien binnengesmokkeld en daar maakten we alles op klaar. Onze cel diende tegelijkertijd als keuken, slaapkamer en wc.

Valentina leek veel op Snezhana. Op een dag was ik gevulde paprika's aan het klaarmaken. Er waren er twee per persoon. Ik gaf er ook wat van aan een Libische vrouw. Het Kleintje vroeg me: 'Hoeveel waren er?'

'Ik weet het niet, ik heb ze niet geteld. Ik zweer het je.'

'Jij zweert het, ja! Voor jou is ook helemaal niets heilig!' Niet echt aardig voor mij, terwijl ik me net had staan uitsloven om voor iedereen paprika's te bereiden. Een flinke belediging en de irritatie van het Kleintje was compleet.

Toch voelde ik me er beroerd onder. Die voortdurende jaloezie ontnam me soms alle moed. Omdat ze afhankelijk van me waren – ik was hun tolk – en omdat ik me beter redde, zelfs in de gevangenis. Ik onderhield het contact met de anderen, wist me overal uit te draaien, en dat verdroegen ze niet. Ze hadden me nodig en tegelijkertijd maakte hen dat woedend.

In de loop van de jaren zijn ze eraan gewend geraakt. Ze hebben geleerd zonder moeilijk te doen van mijn kwaliteiten gebruik te maken. Daar ging veel tijd overheen, zelfs terwijl ik mijn best heb gedaan het ze wat gemakkelijker te maken. In die periode kwamen botsingen echter dagelijks voor.

We krijgen gebak. Nasya verdeelt het in gelijke stukken. Vier kleine stukjes gebak per persoon. Het Kleintje gaat verhaal halen bij Nasya. 'Hoeveel gebakjes waren er?'

'In totaal eenentwintig.'

'Waar is het eenentwintigste?'

'Platgedrukt, en toen heb ik het maar opgegeten.' Ze brult een belediging.

Nog jaren later kwam Nasya bij iedere woordenstrijd met het Kleintje terug op haar woede van toen.

'Ze wacht nog steeds op haar vijfde stukje gebak...'

Waarop heb ik recht, en op hoeveel daarvan, dat was alles wat het Kleintje bezighield. Ze meende overal bedrog te zien, al ging het maar om een kruimeltje. Het begon met een stukje gebak en het eindigde in eindeloos gevit. Jarenlang eindigden dit soort scènes steevast met de woorden: 'We zitten hier alleen maar door jouw schuld!'

Nasya leed erg onder deze uitvallen. Ze probeerde ze te negeren.

We hadden geen ondergoed. De Libische medegevangenen leenden ons wat. Op een gegeven ogenblik kregen we eens per maand bezoek van iemand van de ambassade. We kregen stukje bij beetje de spullen die we nodig hadden.

Ook gaven we eens per week bestellingen door zonder op de bon de hoeveelheid aan te geven, want er werd toch maar weinig geleverd. Toen we om kleren vroegen, kregen we een broek, een T-shirt en een paar sloffen per persoon. De sloffen waren in één dag kapot. Na twee jaar voortdurend zweten, droomden we van deodorant. Ik heb het op de lijst gezet, een van de gewone merken die in de supermarkt liggen.

Ik hoorde later dat er in Bulgarije werd gezegd dat we 'luxe deodorant' eisten.

Ook dat deed pijn. Deodorant is geen luxeartikel. Onze diplomaten slaagden er nauwelijks in ons van de meest elementaire dingen te voorzien, en het leek erop of ze niet begrepen dat we slachtoffers waren. Nadat we hun hadden verteld dat we op de grond sliepen, lieten ze veldbedden brengen. We kregen platen spaanplaat die we eronder hebben gelegd om er niet doorheen te zakken.

De Libische vrouwen in de gevangenis zorgden beter voor ons.

Boeken miste ik erg. Het eerste boek dat ik in de gevangenis kon lezen heette *De Jakhals*, dat ging over de maar al te bekende terrorist Carlos. De Ethiopische vrouw had het ons gegeven.

Het was in het Engels, ik las het en vertaalde het voor de anderen.

We hadden ons leven dus zo goed en zo kwaad als het ging op de rails. Maar dat werd anders vanwege één vrouw. Een nieuwe directrice, die een einde maakte aan de kleine privileges die we vanaf onze komst hier genoten. De groep leerlingen Arabisch was aanzienlijk geslonken en ze had besloten met de lessen te stoppen, ondanks het voorstel van onze leraar in de cellen te gaan lesgeven, al was het alleen maar voor Valya en mij.

Ik heb nauwelijks de tijd gehad het alfabet te leren en ik begon net te leren lezen toen de lessen werden gestaakt.

De directrice is maar veertig dagen gebleven, maar ze heeft alles afgebroken wat Abdallah had opgebouwd. Ze heeft alle gevangenen in andere cellen geplaatst en daarmee conflicten veroorzaakt. Als ze langer was gebleven had het waarschijnlijk tot een opstand geleid. Wij kwamen in de laatste cel van de gang terecht met een drugsverslaafde, een militante Egyptische politiek activiste en een recidiviste die was veroordeeld wegens dronkenschap. De ruimte was donker en vochtig, het water was overdag afgesloten en we moesten 's nachts onze bakjes vullen.

Terwijl ik met Nasya naaiwerk deed en lakens beschilderde of Arabisch leerde samen met Valya, bleven de anderen in de cel.

Maar we hadden ook een andere vorm van afleiding. In die zin dat het vervoer naar de rechtszitting iedere keer een mooie gelegenheid was om vanuit het getraliede busje straten, winkels en voorbijgangers te bekijken.

Tijdens de eerste rechtszittingen is er niet veel gebeurd. Telkens werd de zitting na twintig minuten verdaagd om redenen die ons volledig ontgingen. Mei 2001: verdaging. Juni 2001: verdaging tot september.

Ik herinner me wel nog een Libiër die was veroordeeld voor de slechte organisatie van het kinderziekenhuis en die het woord nam: 'In Libië is het gezin heilig. We hebben nooit buitenechtelijke verhoudingen. Aids kan niet veroorzaakt worden door seks buiten het huwelijk. Degenen die hier zitten' (hij wees op ons) 'zijn misdadigers, zij zijn de echte verantwoordelijken voor dit drama.'

Ik grijnsde inwendig. Ik kende de moraal van de Libiërs wel. Ik kende Libiërs met Poolse, Filippijnse, Bulgaarse, Joegoslavische, Egyptische en Syrische maîtresses, en ga zo maar door.

Ze waren hypocriet, vooral als het om verboden zaken ging.

Ik herinner me echter de zitting van 2 juni 2001. Die was anders. Advocaat Vladimir Cheytanov had zich ervoor ingezet dat wij toestemming zouden krijgen om in het openbaar te getuigen. Tegenover het hof hebben we verteld van het geweld en de elektrische schokken waarmee ze ons bekentenissen wilden afdwingen.

Er was die dag een Bulgaarse televisieploeg aan het filmen. We wisten dat de Bulgaren zouden horen wat we te verduren hadden gekregen.

September 2001. Er zaten in de zaal elf vertegenwoordigers van het Europese corps diplomatique. De gerechtssecretaris bood hun thee aan. Voor mij leek het alsof ze urenlang zaten te drinken. Na deze onderbreking verklaarde de rechtbank dat de uitspraak in het belang van het recht vijf maanden later zou worden gedaan. De aangekondigde datum was volgens mij niet toevallig gekozen. Het was de verjaardag van de Bulgaarse minister van Justitie: 17 februari 2002. Wisten ze dat?

Twee weken later werd ik zonder uitleg uit de gevangenis gehaald. Ik werd naar een onbekende plek gebracht, zonder handboeien of bijzondere veiligheidsmaatregelen. Ik was verstijfd van schrik bij het idee dat ze me misschien weer wilden gaan martelen. Ik heb toen Ashraf weer gezien.

Ik werd aan twee generaals voorgesteld. De ene droeg prachtige Italiaanse schoenen en sprak Engels. Ze hebben me op rustige toon vragen gesteld. Ik heb op dezelfde rustige toon alles verteld wat er was gebeurd, inclusief de elektrische schokken...

De generaal met de mooie schoenen antwoordde snedig: 'De leider van het onderzoek heeft me de dossiers gegeven en hij heeft me gezegd dat de bekentenissen niet onder dwang zijn verkregen.'

'Waarom hebt u mij hier niet eerder vragen over gesteld?'

'Omdat hij een medewerker van ons is en wij hem vertrouwen.'

Toen ik wegging hebben ze gezegd dat het volgende verhoor zou worden gefilmd. Voordat ik naar de gevangenis werd teruggebracht, heb ik gevraagd mijn man te mogen ontmoeten. Ze hebben hem de volgende dag gebracht. Hij heeft alles gehoord. Het was moeilijk voor hem, ditmaal.

We hielden elkaar bij de hand. Toen ik sprak, huilde hij. Hij hoorde voor de eerste keer van de elektrische schokken, hoe ze me urenlang hadden opgehangen aan mijn handen, dat ze me helemaal hadden uitgekleed, en dat de elektrische staaf over mijn hele lijf was gegaan tot aan de intiemste plekjes toe. Ik heb alles verteld. Ik sprak zonder emotie, kalm. Zdravko stond op het punt flauw te vallen.

Tijdens de ontmoetingen met vertegenwoordigers van onze ambassade had ik niet al te zeer uitgeweid over mijn afschuwelijke ervaringen. Ik was spaarzaam met details om het niet aangedikt te laten lijken. Maar daar, in het kantoor van de Libische generaal, was ik terug in de hel.

Nu was ik het echter niet meer die de pijnen te verduren kreeg maar Zdravko.

Na afloop zei de generaal dat we naar elders zouden worden overgebracht.

Op 22 december 2001 kwam Salomon Passy, onze minister van Buitenlandse Zaken, in Tripoli aan. Voor het eerst hebben ze ons allemaal samen uit de gevangenis gehaald en naar een tent op een gazon gebracht waar een buffet met cocktails prijkte. De overdaad was verbazingwekkend. We hadden het aan onze minister te danken.

Ik heb ergens gelezen of gehoord dat Passy die dag of de dag ervoor de Libische leider had ontmoet. Wat zeer bijzonder was, want hij ontving maar zelden ministers van Buitenlandse Zaken, ongeacht uit welk land.

Hij zou tegenover zijn gast hebben verklaard dat hij Bulgarije goed kende, respect had voor de Bulgaarse mensen die al lange tijd in zijn land werkten en dat het hem verbaasde dat Bulgaren iets dergelijks hadden kunnen doen.

Het was een buffet met veel vis en vlees, maar ik heb alleen wat salade genomen. Na alle schaarste in de gevangenis was het meeste eten daar te zwaar voor me. Ik had hoe dan ook besloten voor lange tijd te vasten en me tot het strikte minimum te beperken. Een behoefte om me te zuiveren, om al het gif te verwijderen. Al het gif, het lichamelijke en het geestelijke.

Passy zei op hartelijke toon tegen ons: 'Probeer het nog vijftig dagen vol te houden en droom maar vast van de plek waar jullie je vakantie willen doorbrengen.'

Ik kreeg weer hoop. Ik wilde er zo graag in geloven. Hij was vriendelijk, hij stelde ons gerust. Zijn bezoek was een teken dat er iets stond te gebeuren.

Toen ging de stichting Saif al-Islam zich ermee bezighouden en begonnen onderhandelingen waarvan de inhoud geheim is gebleven. Wat ons betreft, wij wachtten op de uitkomst ervan. Ze gingen hoofdzakelijk over onze overplaatsing naar een speciale plek. Salomon Passy had in de persoon van de zoon van leider Kadhaffi, de voorzitter van voornoemde stichting, een gesprekspartner gevonden. En zo werd ons op 4 februari 2002, drie jaar na mijn arrestatie, aangekondigd dat we onze spullen moesten pakken.

We wisten niet waar we heen gingen. Salomon Passy had het er niet over gehad, uit voorzichtigheid neem ik aan. We verwachtten een nieuwe gevangenis. Dus namen we alles mee: de spullen die we her en der hadden verzameld, de mesjes, de plastic borden... en natuurlijk de weinige kledingstukken die we bezaten. En zoals gewoonlijk moest alles in een vuilniszak worden gedaan.

Ik gaf een bosje namaakbloemen aan een Nigeriaanse. Alle

gevangenen kwamen naar de gemeenschappelijke ruimte. Ze klapten in hun handen, ze huilden. Ze hebben afscheid van ons genomen alsof we elkaar nooit meer zouden terugzien. Helaas, twee jaar later zouden we terug zijn...

13

TIJDELIJKE LUXE

Zdravko! Hij is het goede nieuws. We zijn allemaal bijeen. Hij is bij me, weg uit de hel die zijn middeleeuwse gevangenis was. We zijn voor een witte poort zonder tralies gestopt. Ze laten ons de binnenplaats op gaan van een klein wit huis, het Drebi-huis genoemd. Het ziet er niet uit als een gevangenis. Overal eromheen staan regeringsgebouwen, dat van het ministerie van Binnenlandse Zaken en de narcoticabrigade. Er zijn muren van twee meter hoog, we worden goed bewaakt en rond de binnenplaats liggen bloemenperkjes.

De kamers lijken op die van een driesterrenhotel. Er zijn er vier in het huis en verder een ingerichte keuken, een woonkamer met televisie en nieuwe vloerbedekking. Het schitterende huis wordt ons voor de periode dat we huisarrest hebben 'geleend' door de stichting van Saif Kadhaffi, de zoon van de president. De politiemensen die ons vergezellen willen ons scheiden van Ashraf en zoeken voor hem een verblijf in het regeringsgebouw, maar Zdravko springt op en protesteert heftig: 'We blijven allemaal samen!'

De zaak is beklonken. Een kamer voor Ashraf, dus blijven er drie over. Zdravko en ik nemen er één. Er blijven er twee over voor de vier meisjes, die dus met zijn tweeën een kamer moeten delen.

Zdravko kan het niet geloven. Opgewonden blijft hij maar van binnen naar buiten lopen en weer terug, helemaal door het dolle heen: 'Er is een binnenplaats en stromend water! Het is een paradijs, ik wil hier wel tot het einde van mijn leven blijven.'

Hij moet geestelijk wel erg hebben geleden, dat hij zo gelukkig was bij het zien van een schone kamer, alsof hij vrij was.

Hij draaide aan de kraan in de keuken, aan die van de badkamer, volkomen gebiologeerd, alsof hij vreesde dat het een luchtspiegeling was.

Hij kon niet geloven dat hij een bad ging nemen, naar de wc kon gaan zonder te wachten tot er zestig mensen voor hem waren geweest en hij toestemming had gekregen.

We keken voor het eerst naar de Bulgaarse televisie. Op het nieuws heb ik mijn moeder gezien. Ze huilde. Ik geloof dat ze samen met anderen voor de Libische ambassade in Sofia demonstreerde. Ze is dapper, mijn moeder. Ze is oud geworden. Afwezig.

Alles was vreemd en de overgang was tamelijk abrupt, na alles wat we hadden meegemaakt. Ik vroeg me af wie er gewoonlijk van dit huis gebruikmaakte dat zo dicht tegen het gebouw van de narcoticabrigade aan lag. Wellicht niemand. Het was een plek voor mensen met huisarrest, waar in principe alleen 'verdachten' van hoog niveau werden gehuisvest. Hoe dan ook, de vloerbedekking was nieuw en de keukeninrichting onberispelijk. Met blote voeten over een vloerbedekking lopen, voor een televisie zitten... Je met warm water wassen! We zijn uitgeput maar tevreden naar bed gegaan. In een echt bed, na zo'n lange tijd weer samen met mijn man.

Ik voelde een geraamte naast me. Ik heb het gestreeld. Zijn huid was rimpelig als van een grijsaard. Ik zocht vergeefs naar de Zdravko die ik kende. Hij was nog maar een schaduw van die man. We bleven maar praten. Die nacht en de dagen erna. Vanaf het begin leed ik meer vanwege hem dan vanwege mezelf. Ik weet zeker dat voor hem hetzelfde gold.

Ik besefte dat ik echt van hem hield. Intens. Het was geen dwaze hartstocht; hij was gewoon het dierbaarste en trouwste wezen op aarde.

Ik was blij dat we eindelijk weer samen waren. Ik ben hem als een baby met een lepel gaan voeren. Hij was het niet meer gewend iets in zijn mond te stoppen. Ik bracht hem terug naar de werkelijkheid met behulp van kleine dingetjes waar hij gek op was, zoals pudding.

We konden ons ook voor het eerst afzonderen. Als je in de gevangenis zit, is privacy, na je vrijheid, datgene wat je het meeste mist. Alleen zijn, kunnen zwijgen of praten zoveel je wilt. Het was nog beter als we alleen in onze kamer waren, als paar. Ik denk dat de anderen jaloers waren, al zeiden ze het niet. Ik weet niet of ze tijdens de gevangenschap de liefde van een man hebben gemist. Er werd niet over gesproken.

Wat mij betreft, ik had het gemist. Ik was veertig, ik berustte erin.

Het heeft maanden geduurd voordat we weer man en vrouw werden, want de eerste zes maanden was mijn arme man een wandelend lijk, dat langzaam weer tot leven kwam. Daarna is alles weer goed gekomen. In de grond was hij zichzelf gebleven, hij had nog steeds het vermogen afstand te nemen en te spotten met de afschuwelijkste dingen.

We hadden het geluk samen in de gevangenis te zitten. Strelingen en tederheid helpen te leven. Vroeger vrijde ik graag, maar in de gevangenis kon ik me er niets meer van herinneren. De gevangenis verandert je, ik was verworden tot een gevangene die barricades had opgeworpen om te overleven.

We voelden ons heel prettig in dat huis. Er werd ons eten uit een restaurant gebracht en gesmokkelde sigaretten. Iedere woensdag kregen we mobiele telefoons te leen om met onze familie te bellen. Alles wees op een gelukkige afloop. Niemand van ons vermoedde dat we nog vijfenhalf jaar in Libië zouden blijven. De politiemensen om ons heen bevestigden dat de mensen nooit voor langer dan drie of vier maanden in Drebi bleven. Daar heb ik gezien wat handel in heroïne inhoudt. Er zijn in Libië veel drugsverslaafden. De politiemensen vertelden ons in detail over de enorme hasjvangsten en de drugstransporten via Tunesië en Marokko. Onze verblijfplaats lag tegen een opslagplaats aan, die helemaal vol lag met in beslag genomen verdovende middelen. We wisten dat er in de gevangenis van Tadjoura meer dan vijfhonderd drugsverslaafden zaten, kennelijk verslaafd aan heroïne.

Op een nacht hoorden we een hartverscheurend geschreeuw. De politie was zich op iemand aan het uitleven. Het was in de tijd dat Saif Kadhaffi actie voerde tegen politiegeweld. Overal in de stad hingen affiches tegen het martelen in de gevangenis, terwijl we op hetzelfde ogenblik hoorden brullen.

Wat ons betreft, wij hadden niets te klagen. We werden als prinsessen en prinsen behandeld. We waren naïef en wisten niet dat we vetgemest werden om ons later te verslinden. We begrepen niet dat we gebruikt zouden worden, en dat we daarvoor levend en goed gezond moesten zijn.

Zdravko ging tuinieren: hij onderhield de borders van de binnenplaats. Hij genoot van de zon en zag er weer gebruind uit. Ook borduurde hij. De lange maanden in de woestijn hadden hem daartoe gebracht. Hij heeft het Kleintje leren borduren. Ze toonde interesse en was tot onze grote verbazing geduldig. Ze leerde snel en haar borduurwerk was werkelijk perfect.

Ze bekeek de achterkant van het werk, en als het haar niet beviel haalde ze alles weer uit.

Zowel de voor- als achterkant moest onberispelijk zijn. Verbazingwekkend.

Ik had gehoord dat ze op de intensive care had gewerkt van de afdeling pediatrie in Pazardjik. Dat was de moeilijkste afdeling. Ze stond bekend als iemand die haar vak verstond. Ze zat heel lief naast Zdravko te borduren. Rustig.

Later heeft ze zich ook tegen hem gekeerd.

Op 17 februari 2002 verklaarde het Volkstribunaal zich onbevoegd, overwegende dat het complot tegen de staat geen hout sneed, en het bepaalde dat het dossier moest worden overgedragen aan een rechtbank voor strafzaken. We werden niet meer beschuldigd van een complot tegen de staat, maar van het doden met voorbedachten rade van honderden kinderen.

We begrepen toen niet dat alles weer van voren af aan begon, dat dat vooronderzoek van hen eindeloos door zou gaan. We dachten dat het een juiste beslissing was, een positief teken en dat we meteen na de volgende zitting vrij zouden komen.

Consul Serguei Yankov heeft ons echter uitgelegd dat we het hele juridische systeem van Libië moesten doorlopen voordat het definitieve vonnis zou worden geveld. De rechtbank voor strafzaken was pas het begin. We hadden niet opgelet, want we begrepen niets van de gerechtelijke instanties van dit land.

Ook het interview dat de zoon van de leider aan twee Bulgaarse media had gegeven bevatte voor ons duidelijk bemoedigende signalen. Hierin erkende Saif al-Islam dat de 'richting' van het onderzoek 'vanaf het begin verkeerd was' en vooral 'dat er druk' op ons 'was uitgeoefend'.

Fragmenten uit het interview van Saif al-Islam, voorzitter van de stichting Kadhaffi, zoon van de Libische leider en waarnemer bij het aidsproces, gepubliceerd in de Bulgaarse krant *Nu* en uitgezonden door de zender BTV – 19 februari 2002.*

Op grond waarvan hebt u besloten zich met deze zaak bezig te houden?
We hebben een officieel verzoek ontvangen van de Bulgaarse regering. Op grond daarvan hebben we geaccepteerd om als waarnemers aanwezig te zijn. Ik denk dat onze vrienden in Bulgarije tevreden zijn met onze actie. We doen wat we kunnen.

Wat is uw mening over de beslissing van de rechtbank, hebben ze rekening gehouden met de opmerkingen van de stichting?
De regering heeft deze zaak voor een strafrechtbank gebracht. De zaak wordt een gewoon strafproces zonder dat de politiek er invloed op heeft.

Wat is de inhoud van de nota die u aan het parket hebt gezonden?
We hebben lacunes in het onderzoek gevonden. Er zijn veel onduidelijkheden die opgehelderd dienen te worden en hierin heeft de stichting een onmiskenbare taak te vervullen.

Kunt u ons enkele van deze onduidelijkheden noemen?
Het meest raadselachtige van het proces is het idee dat deze zaak het zichtbare gedeelte is van een groot complot. Persoonlijk geloof ik daar niet in, maar dat dient door de rechtbank te worden opgehelderd. Onze rol is het observeren, het verzamelen van zoveel mogelijk informatie, bewijzen en getuigen; veel concrete details en vooral geloofwaardige informatie zodat de rechtbank de juiste uitspraak kan doen.

Maar heeft het Volkstribunaal niet al uitspraak gedaan over

---

* Auteurs: Dessislava Stojanova en Miroluba Benatova.

*het feit dat er geen bewijzen zijn dat Bulgaren hebben deel-
genomen aan een complot tegen Jamahiriya?*

Ja, tot op heden zijn er geen bewijzen gevonden. We zijn er
trots op eraan te hebben meegewerkt dat de rechtbank dit erkent.

*Wat is volgens u de waarheid in deze zaak rond de inentin-
gen?*

Er zijn twee varianten – complot of nalatigheid. Iemand
heeft zich misdragen of heeft iets nagelaten, en het drama is
geschied.

Heeft uw stichting onderzoek verricht?

Nee, geen onderzoek, maar studie en analyse.

Kunt u iets meer zeggen over deze studieanalyse?

We beschikken over een team advocaten die aan het proces
werken en de feiten analyseren.

*Is het juist dat de mensen die door dit team zijn onder-
vraagd door de politie zijn gemarteld, zoals de Bulgaren beweren?*

Ja.

Welke conclusies trekt u uit deze ondervraging?

Er is een zekere druk op deze mensen uitgeoefend. Dat is
verkeerd en onwettig. Het proces dient te worden overgedaan
omdat er in het begin druk op de verdachten is uitgeoefend.

Kunt u iets meer zeggen met betrekking tot deze druk?

Ik weet het niet precies, maar als ik me niet vergis bestaat
er een rapport dat naar de Bulgaarse ambassade en de advocaten is gestuurd. De politie heeft zich eerst laten beïnvloed
door de overtuiging dat de besmetting het gevolg is geweest
van een door de Bulgaren voorbereid complot. Dat was een
vergissing – een vertekening van de waarheid.

*Wat was er de oorzaak van dat het proces in de verkeerde
richting werd gestuurd?*

Wie er achter dat alles zit en hoe het zich heeft voorgedaan, dat zullen we spoedig weten. Het is een groot drama voor het Libische volk.

Hebt u het met uw vader over het proces gehad? Wat is zijn mening?

Mijn vader heeft me aangespoord mijn plicht te doen. Hij gelooft niet in de complottheorie. Hij is principieel tegen ieder complot. Hij heeft tegen me gezegd: 'Verpleegkundigen zijn engelen en geen duivels die honderden kinderen doden. Ik hoop dat de Bulgaarse verpleegsters onschuldig zijn en naar hun land kunnen terugkeren. En ik geloof dat de oorzaak van dit drama wordt gevonden en de verantwoordelijken ervan worden ontmaskerd.' Het is normaal dat een leider zo denkt. We willen allemaal de waarheid en niemand tracht de Bulgaarse verpleegsters te beschuldigen en op te sluiten. We hebben daar geen enkel belang bij.

Kent u details van het proces, in het bijzonder van de medische expertise?

Ik heb een heel goed algemeen beeld van het proces. Ik ondersteun mijn ondergeschikten in hun werk en hun onderzoek, en zo ben ik redelijk op de hoogte geraakt van de details ervan.

Bent u op de hoogte van de bevindingen van Montagnier en Perrin, die tot de conclusie komen dat de besmetting te wijten is aan het slechte beheer van het ziekenhuis en aan het gebrek aan materiaal, waardoor injectiespuiten meer dan eens zijn gebruikt?

Ik meen dat zich al eerder vergelijkbare gevallen hadden voorgedaan. Daarom sprak ik over nalatigheid.

Denkt u dat er sprake is van voorbedachten rade?

Ik heb geen idee. Ik hoop dat het geen opzet was.

U hebt zich verbaasd getoond toen u vernam van het be-

*staan van John de Engelsman en de Egyptische Adel. Hebt u
al iets meer vernomen over deze geheimzinnige helden?*
Ik denk dat ze niet bestaan. Ze zijn slechts verbeelding.
Achter deze namen gaat geen enkele bestaande persoon
schuil.

In het mooie huis waar we nu verbleven leek het alsof ons
niets ondraaglijks meer te wachten stond.
Het meest ondraaglijke bleek de tijd te zijn.
Zdravko had niet in de gaten dat hij in een lastige groep was
terechtgekomen, waarin hij de rol van buffer speelde.
Hoewel we behalve vrijheid alles hadden, vond het Kleintje
geen rust. Op een dag vond ze wasgoed dat niet van haar was
op een plek waar zij 'dat van haar' gewoonlijk opborg. Het
wasgoed behoorde toe aan Snezhana. Het Kleintje eiste op ba-
zige toon dat Snezhana de plek onmiddellijk zou leegmaken.
Snezhana liet dat niet over haar kant gaan en er viel een klap.
Het Kleintje vloerde haar in luttele seconden.
Een andere keer was het Snezhana die sloeg. We hadden zeven flesjes vruchtensap die we onder elkaar hadden verdeeld.
Ze kwam er als laatste bij, woedend dat er maar één flesje
overbleef, net het sap dat zij niet lekker vond. Ze sloeg me met
een doek in het gezicht.
Ze vloog op me af, daar in de keuken. Zdravko greep in door
tussen ons in te gaan staan. Ze schold hem uit.
In tegenstelling tot het Kleintje bood Snezhana altijd haar
excuses aan. Ze had tranen in haar ogen als ze zich verontschuldigde. Ze schold ons uit en verontschuldigde zich later.
Maar ze veranderde niet, ze bleef maar zaken verdraaien. Haar
excuses hadden niets te betekenen, want uit haar gedrag erna
bleek dat ze geen spijt had.
In feite vond ze dat ze miskend werd, veracht. Zij was het

ziekst, moest zich het meest ontzeggen, was het hardst getroffen en werd het meest verwaarloosd.

Zdravko, de buffer, heeft haar het hoofd weten te bieden. Hij heeft ons nooit gezegd wat hem dat heeft gekost. Hij deed zijn best geen partij te kiezen om geen nieuwe conflicten te veroorzaken. In ieder geval namen ze in aantal en hevigheid af. Samen keken we naar de Bulgaarse televisie. We hadden veel dingen in te halen.

En we hoopten dat er snel een oplossing kwam.

In juni werden we voor de officier van justitie van de volgende rechtbank geleid. De verhoren begonnen opnieuw.

Ze herinnerden me er opnieuw aan dat ik een 'belangrijke' gevangene was. De officier van justitie vroeg: 'Wie ben je eigenlijk?'

'Ik ben verpleegkundige, ik heet Kristiana Malinova Valcheva en ik heb niets te maken met de aidsaffaire in Benghazi.'

Het nieuwe verhoor was snel afgelopen – het was meer een formaliteit. We werden naar een politiearts gebracht, drieënhalf jaar na de martelingen.

De meesten van ons hadden nog steeds littekens. Zelf had ik nog steeds sporen van riemen. Bij Valya waren de gevolgen van de mestkevers nog te zien die ze op haar buik hadden vastgeplakt. Die beesten knagen aan je huid en maken wonden die slecht helen. Nasya had nog sporen van de elektrische draden, Ashraf eveneens.

Na deze expertise verwachtten we dat onze beulen voor de gevolgen van hun daden moesten boeten, dat ze gestraft zouden worden, want Saif Kadhaffi hield zich in principe bezig met de strijd tegen marteling, en vooral die van ons. Maar daar kwam niets van terecht. Zelf dacht ik er liever niet meer aan en ik slaagde daar vrij aardig in. Ik ben niet iemand die nachtmerries krijgt. Het lukt me al het leed in een vakje in mijn hoofd op te bergen en ik doe het klepje goed dicht. Dat is al heel lang mijn persoonlijke overlevingstherapie.

We leidden dus een rustig leventje in het 'huis'. We gingen regelmatig naar de tandarts in Tripoli, wat ons de gelegenheid bood wat inkopen te doen of vrij te wandelen door de straten in de omgeving van zijn praktijk. We leefden in een relatieve vrijheid.

Ondanks de paar keer dat we kort op de Libische televisie te zien waren, herkenden de mensen ons niet, zodat we konden genieten van de anonimiteit en het stadsleven, even weg uit het huis.

Deze brokjes vrijheid leken te bewijzen dat zelfs de politie niet meer in onze schuld geloofde. En niemand was bang dat we zouden vluchten.

Loufti, die verantwoordelijk voor ons was, was zenuwachtig als we te laat thuiskwamen. Hij was bang dat ons iets was overkomen en niet dat we waren gevlucht.

Loufti was een Libiër zoals ik er nog nooit een had ontmoet. Een jonge kapitein van ongeveer dertig. Hij had gevoel voor humor, was hartelijk en vriendelijk. Zelfs zijn superieuren toonden respect voor hem.

Loufti en het huis maakten deel uit van deze vrolijke, rustige periode. We hadden privévertrekken en nieuwe bezigheden.

Op woensdag mochten we bezoek ontvangen. We ontvingen Bulgaren die in Tripoli werkten. De ambassadesecretaris, haar echtgenoot, hun vriend en arts, ze werkten allemaal ter plaatse. Onze wereld werd groter.

We waren niet meer alleen, onze blik was niet meer alleen op onszelf gericht. En het mooiste was nog wel dat we met andere mensen onze taal konden spreken.

Met Pasen lieten ze familieleden komen. Er waren tenten

neergezet op de binnenplaats van het ministerie van Binnenlandse Zaken. Er kwam een priester. Op de binnenplaats van
de militie hebben we de mis bijgewoond. Het was hypocriet,
zoals alles wat er toen gebeurde. Nasya droeg de icoon van de
Maagd met het Kind.

Ik stak voor het eerst een kaars aan. Ik kan me niet herinneren of dit ritueel voor mij dezelfde betekenis had voordat ik
gevangen werd gezet, maar ik heb toen begrepen waarom de
orthodoxe kerk dit geloofssymbool op de voorgrond heeft geplaatst. Het licht. De vlam. Het idee dat het licht helpt om de
weg terug te vinden. Ik ben gaan bidden: God, geef me mijn
vrijheid terug.

Het was mijn enige gebed in jaren.

Mystiek Pasen. Vol hoop.

Kort voor kerst kwamen onze familieleden op bezoek en heb
ik mijn zoon teruggezien.

Hij werd een week lang ondergebracht op het hoofdkantoor
van een Bulgaars bedrijf in Tripoli, evenals alle andere bezoekers. Slavei was toen al vijfentwintig... Hij begon al een tikje
kaal te worden, het was een man, maar voor mij bleef hij een
kind. Ik was natuurlijk blij hem te zien, maar zijn aanwezigheid wekte ook frustratie. Hij was uit mijn 'land' gekomen om
me op te zoeken en dat land was voor mij nog steeds ontoegankelijk. Normaal had ik hém moeten opzoeken. Het was
een vreemd gevoel, zo'n weerzien in familiekring, bijna vrij
maar niet in de vrije wereld. Ik had hem niet meer gezien
sinds mijn laatste vakantie in Bulgarije vijf jaar eerder.

We spraken over onschuldige dingen, het was een gelukkig
weerzien en ik wilde alle zorgen erbuiten houden. Ik vroeg
hem naar zijn vrienden, de mijne, de buren, enzovoort. We
hadden het niet over onze huidige situatie. Hij kwam iedere
dag rond elf uur 's ochtends en bleef tot de avond bij ons.

Ik voel me schuldig dat ik hem niet langere tijd zelf heb opgevoed. Ik weet dat ik niet alles heb gedaan wat een moeder
voor haar kind moet doen. Als hij bij mij in Libië was gebleven, was zijn leven anders geweest. Maar als puber verveelde
hij zich in Benghazi en ik had een zwaar leven, ik was nog niet
goed in het land geïntegreerd. Toen hij dan ook vroeg te mogen vertrekken, heb ik er niet op aangedrongen dat hij moest
blijven. Ik had er toen geen vermoeden van dat zijn lot op het
spel stond en ik heb hem deze beslissing alleen laten nemen.
Hij was vijftien. Hij was er niet klaar voor. Ik heb egoïstisch
gehandeld en moet daar nu voor boeten. Hij heeft zijn studie
niet afgemaakt. Vanwaar ik me bevond kon ik niets doen.
Mijn moeder kon hem niet aan. Ik heb hem gedwongen naar
school te gaan om een beroep te leren. Ik heb geprobeerd in
Libië werk voor hem te vinden bij een buitenlandse onderneming. Helaas tevergeefs.

Tijdens die laatste vakantie in 1997 hadden we het er lang
over gehad. Ik had me erbij neergelegd dat hij stopte met zijn
studie maar drong erop aan dat hij ging werken. Later, toen ik
al in de gevangenis zat, liet mijn moeder me weten dat ze niet
goed met Slavei overweg kon, dat hij niet wilde werken en lui
was. Het deed me pijn. Hij is goddank geen slecht kind en hij
is niet het verkeerde pad op gegaan. Maar hij heeft niet mijn
ondernemende geest.

Het ontbreekt hem aan wilskracht. Ik ben nooit een moeder
geweest die blind is voor de fouten van haar kind. Ik ben hel-
der van geest en ik besef heel goed als ik hem terugzie dat ik
eveneens in mijn plicht tekort ben geschoten. Maar ik laat de
moed niet zakken.

Ondanks de verloren tijd kan ik hem nog helpen actie te on-
dernemen en zijn plek te vinden.

In Drebi dachten we allemaal dat het einde van onze lijdensweg in zicht was omdat we buiten de gevangenis waren, maar we konden ons geen overdreven optimisme veroorloven. De teleurstelling kwam tijdens het bezoek van de diplomaat Petko Dimitrov, die ons vertelde: 'Jullie vrijlating hangt af van een grote som geld.'

We reageerden allemaal verbijsterd: Valya, Zdravko, Ashraf en ik. Ik zei: 'Maar we zijn onschuldig, waarom een losprijs betalen? We weigeren te worden vrijgekocht!'

De diplomaat ging er niet verder op in. Hij wist dat we dit soort politieke machinaties niet konden begrijpen. Hij heeft ons alleen aangeraden voorzichtig te zijn met eventuele opmerkingen tegenover de media. We hadden onze huidige levensomstandigheden aan de stichting Kadhaffi te danken.

Het was voor ons onmogelijk compromissen te overwegen. Terugkeren naar ons land zonder vrijgesproken te zijn? En onze onschuld dan? En onze eer? Losgeld? Ik kon niet begrijpen waarom er wat voor bedrag dan ook moest worden betaald aan een staat die ons gemarteld en vals beschuldigd had.

Het was bij ons nog niet voldoende doorgedrongen dat we verhandelbare gijzelaars waren. Wat er in werkelijkheid in de diplomatieke wereld werd beraamd om ons daar weg te krijgen, drong niet tot ons door. We kregen maar heel weinig concrete informatie, zelfs nu we de Bulgaarse televisie ontvingen. Hoe dan ook, als je onschuldig bent telt alleen dat iedereen erkent dat je onschuldig bent. Je moet zoiets hebben doorgemaakt voordat je het begrijpt. Vooral als je bent bezweken onder martelingen en alles hebt 'bekend' om te overleven.

In juli 2003 laat de politie weten dat we voor twee dagen naar Benghazi moeten Het is niet de eerste keer dat we worden opgeroepen daarheen te gaan, om allerlei redenen. En we hebben helemaal niets door. Iedereen pakt een reistasje en we vertrekken.

De eerste verrassing wacht ons meteen bij aankomst: we worden ondergebracht in een kantoorgebouw van de gevangenis van Kuefia. Na de eerste zitting van het strafhof op 8 juli worden we niet naar Tripoli teruggebracht.

Langzaam dringt het tot ons door dat we daar moeten blijven, opnieuw in de gevangenis, zolang het proces in Benghazi duurt.

We hebben drie kamers in dat kantoorgebouw. Het is er niet zo erg als in gewone cellen; er is een woonvertrek met televisie, een keuken en een badkamer. Maar in Tripoli hadden we een voorproefje van de vrijheid gekregen, dat in Benghazi verdwenen is. Opnieuw zitten we in de gevangenis, opnieuw volgen er zittingen van de rechtbank, die opnieuw verdaagd worden naar augustus, en daarna naar september, en ga zo maar door. We zijn weer terug bij af.

14

EEN GEBED ZONDER EIND

In de rechtbank binnen de muren van de gevangenis van Kuefia ging de voorstelling verder. We konden bij de zittingen onze sloffen aanhouden, want onze gemeenschappelijke cel was vlakbij. Nog altijd hadden we geen tolk, we moesten met behulp van Ashraf gissen naar wat er werd gezegd.

Het eerste wat we begrepen was dat de politiemensen die het onderzoek hadden geleid, beschuldigd waren van zowel geestelijke als fysieke marteling. Ze zaten veilig in een aparte ruimte en toen de rechter hun namen noemde hoorden we alleen hun stemmen. Dat ergerde me. Ik stond op en zei: 'Laat ze hier komen. Laat ze de rechter recht in de ogen kijken, zoals wij.'

Ik bleef maar denken dat de rechtbank over ons lot zou beslissen op basis van de martelingen die we hadden ondergaan en dat wat er in deze zaal zou gebeuren van groot belang was.

Bij de volgende zitting zaten de politiemensen in de zaal. Ik had ze al vier lange jaren niet meer gezien.

Ik voelde geen haat maar afkeer. Ik vroeg me af waarom Idriss, die me vol overgave met elektrische schokken had gefolterd, er niet was. De overheid beschermde hem. De man had zeven jaar in Bulgarije gewoond, waarschijnlijk als agent van de Libische regering, wat een plausibele verklaring voor zijn afwezigheid was.

Ik woonde het proces bij als een toeschouwster, onverschillig voor alle beschuldigingen die de officier van justitie tegen mij kon aanvoeren; ik had ze al tientallen keren gehoord. In feite stond ik buiten deze poppenkast. Toch had ik besloten dat ik er goed uit wilde zien daar, goed gekleed, gekapt en opgemaakt. De ambassade van Bulgarije gaf ons vanaf het tweede jaar van onze gevangenschap vijftig dinar per persoon per maand. Ik had in Drebi tijdens onze korte uitstapjes een paar dingen kunnen kopen: haarverf, crème en wat kleding. Een werknemer van de ambassade deed ook wat inkopen voor ons. Ik had dus iets om aan te trekken, ook al omdat iemand van de ambassade in mijn woning was geweest en het een en ander had meegenomen.

Ik besloot dus die dag niet onopgemerkt te blijven. Ik had al lang geleden besloten mijn haren rood te verven. Om vanaf de eerste zitting op te vallen. Als ik de loop der dingen toch niet kon veranderen, dan zou ik voor mezelf iets veranderen. Het was zoiets als een knipoog naar het verleden, een verzorgder, eleganter uiterlijk, een stukje van mijn voormalige vrijheid terughalen. En ik wilde vooral laten zien dat het ze niet was gelukt me te breken. Ik wilde rode, vlammende haren hebben, hen provoceren, zodat ze verplicht waren hun blikken op mij te richten en ik hen op mijn beurt recht in de ogen kon kijken. Zodat ze begrepen wat ik niet hardop kon zeggen: zie maar, ik ben niet bang voor jullie. Ik ben onschuldig, ik schaam me niet, ik ben niet ongelukkig.

Onschuldig. Mijn hele voorkomen straalde het uit.

Toen we ons die ochtend klaarmaakten, was Snezhana verontwaardigd. Ze had tegengestelde opvattingen over vrouwelijkheid en wilde niets van opmaken weten. 'Hoe wil je bereiken dat we gratie krijgen van de Libiërs als je er zo provocerend uitziet? Lippenstift, make-up en rode haren! Je ziet er helemaal niet ongelukkig uit!'

'Dit is mijn manier van overleven.'

Ik deed mijn best geen ruzie te maken, wat volgens mij geen zin had. Ik was niemand uitleg verschuldigd. Het was mijn keus. Snezhana wierp zich trouwens altijd op als hoedster van de goede zeden: de fatsoenlijkste, de onschuldigste en ga zo maar door. Ze mocht de hemel op haar blote knieën danken dat de Libiërs zich niet meer met haar hebben beziggehouden. Dat heeft de man van Nasya tijdens zijn bezoek aan Drebi duidelijk gemaakt. Het is te simpel om te beweren dat je niets moet zeggen, ook al hakken ze je in stukjes... Ashraf, Nasya, Valya en ik, wij konden over dat in stukjes hakken meepraten, na die elektrische schokken.

Kort voordat de professoren Montagnier en Vittorio Colizzi naar Benghazi kwamen om te getuigen, zagen we elkaar om het een en ander te bespreken; we hoopten dat zij de waarheid aan het licht konden brengen. Idriss, het civiele hoofd van de bewaking in Kuefia, draaide om ons heen. Zoals altijd luisterde hij heimelijk naar wat wij zeiden en reageerde ironisch. 'Ha ha, in dit spel zijn Colizzi en Montagnier van geen enkel belang. Jullie maken je druk om niets. De hele afloop staat bij voorbaat vast en jullie hebben verloren.'

De man was een uiterst verwaande kwast. De ontdekker van het aidsvirus, professor Luc Montagnier, en professor Vittorio Colizzi hebben een urenlange getuigenis afgelegd voor de rechtbank van Benghazi. Ze hebben uitgelegd dat de besmetting zich vóór 1997 heeft voorgedaan, toen Valya, Valentina het Kleintje, Nasya en Snezhana daar nog niet werkten, en ik evenmin. Dat deze besmetting door verschillende factoren kon zijn veroorzaakt die niet meer achterhaald konden worden. Niet alleen de injecties speelden een rol, maar ook hoe er werd omgegaan met de zuurstofkappen, en alle mogelijke huidwonden die in contact kwamen met niet-gesteriliseerde instrumenten. Kortom: er waren veel besmettingsmogelijkheden. En de incubatietijd van de ziekte kon wel tien jaar zijn, zonder enig symptoom. Zijn collega Colizzi, een groot Italiaans specialist, was natuurlijk dezelfde mening toegedaan.

We hoopten dat de getuigenis van beide wetenschappers de loop van het proces zou veranderen. Vervolgens heb ik in het proces-verbaal gelezen dat deze in de hele wereld erkende experts door de Libiërs slechts genoemd werden als 'de uit Frankrijk afkomstige getuige Luc Montagnier' en 'de uit Italië afkomstige getuige Vittorio Colizzi'. Ze reduceerden ze domweg tot toevallige getuigen in deze zaak! Zelfs met betrekking tot een belangrijke vraag waarop professor Montagnier antwoordde: 'Het virus kan inderdaad in plasma worden bewaard en gereactiveerd, maar slechts voor de duur van twee tot enkele dagen. Alles hangt af van de omstandigheden van de conservering, en ik voeg hieraan toe dat mij niet bekend is dat er een dergelijke technische opslagcapaciteit in Libië was ten tijde van de epidemie in het kinderziekenhuis, en zelfs nu nog niet.'

En toch golden hun getuigenissen niet als belangrijker dan alle andere. De frustraties van de Libiërs met betrekking tot de medische technologie hadden tot gevolg dat ze iedere wereld-autoriteit op dit gebied afwezen.

Idriss had gelijk. Niets van wat er in de zaal werd gezegd was van belang. Ik was ervan overtuigd dat de Libiërs iets anders wilden. Dat de werkelijke oorzaken van het drama hen koud lieten en dat ze andere doelen hadden, die ze niet wereldkundig konden maken. De waarheid, onze waarheid was het laatste waar ze zich druk om maakten.

Ik heb vanuit de gevangenis met mijn vriendin Eva in Bulgarije gebeld. Ik wilde weer dezelfde zijn als vroeger, de levenslust uit mijn jeugd weer terugvinden. Sinds telefoneren was toegestaan – mogelijk afgeluisterd, maar dat interesseerde me niet – had ik dat contact met Eva nodig.

We hebben lang gepraat. Ik heb haar die steeds maar terugkerende vraag gesteld: 'Waarom ik?'

Eva is een verstandige vrouw en kan een kwestie goed samenvatten: 'Waarom jij? Gewoon omdat jij in de kijker staat!'

We probeerden te lachen om dit absurde scenario waarin ik de hoofdrolspeelster was. Als een schrijver me het had voorgesteld, had ik geweigerd omdat het te beroerd voor woorden was: kinderen, een epidemie, de Mossad... en wat nog meer?

'Het is te veel,' zei Eva.

Dit te veel slokte wel vier jaar van mijn leven op. Ik kon er niet om lachen.

In ons nieuwe gevangenenverblijf was de spanning tussen ons enigszins opgelopen. Valya, Snezhana en Valentina 'het Kleintje' kookten apart en aten wat de politiemensen hun gaven.

Ik kookte voor Zdravko, Nasya, Ashraf en mij.

Twee kampen. Voor de maaltijden in het bijzonder maar eigenlijk bij alles. Na enige tijd sloot Snezhana zich bij ons aan. En de laatste maanden kookte ik voor iedereen, ook voor de politiemensen.

Het dreigende onheil bracht ons weer nader tot elkaar.

Valentina stortte al haar nervositeit over de anderen uit. Ze schreeuwde voortdurend. 's Nachts trapte ze minstens vijftig keer tegen de deur van haar kamer. Dat was nog niet het ergste wat ze deed, verre van dat; overal waar ze kwam sloeg de vlam in de pan. De extra spanning die daardoor in de lucht hing, hielp ons niet met ons grootste probleem: het gebrek aan vrijheid.

Ik vond het erg voor Valya. Ze was erg verzwakt. Ze keek uit haar ogen als een drugsverslaafde. Het gedrag van het Kleintje, die zich voortdurend met haar bemoeide, bracht haar in de war.

We spraken bijna niet meer met elkaar. En dat terwijl we ons in een van de slechtst denkbare situaties bevonden, als het om overleven ging. We zaten in een leeuwenkuil in Benghazi en de onenigheid maakte ons nog kwetsbaarder.

Als ik stond te koken, kwam het Kleintje erbij staan en gooide ze met veel herrie een lepel in de gootsteen, of schopte tegen de deur. Ze zocht ruzie. Godzijdank kon ik me inhouden en liet ik haar begaan.

Als ze naar de badkamer ging, bleef ze er anderhalf uur en gebruikte al het water uit de twee boilers, zodat na haar niemand meer kon douchen. Ze deed het telkens weer, opzettelijk. Snezhana, Nasya en ik konden met zijn tweeën makkelijk met één boiler toe. Maar het Kleintje gebruikte liters water om haar slipjes te wassen.

De agressiviteit van het Kleintje was niet alleen verbaal. Er vielen ook klappen. Nasya stond een keer koffie te maken toen het Kleintje de keuken binnenkwam. Terwijl Nasya nietsvermoedend met de rug naar haar toe stond, wilde ze haar met een metalen rooster te lijf gaan. Ze zat niet lekker in haar vel en uitte dat met lawaai, geweld en het bezet houden van de badkamer.

Iedere beslissing, hoe onbetekenend ook – naar welke televisiezender we bijvoorbeeld zouden kijken – eindigde met het slaan en uitschelden van Nasya.

'Dankzij jou zitten we in de gevangenis! Jij bent degene die in de fout is gegaan!' De ongelukkige Nasya was als eerste gemarteld, en in de visie van het Kleintje, die zich opwierp als rechter van onze gemeenschap, was zij de verantwoordelijke.

Snezhana was even wreed in haar beschuldigingen. Ze steunde Valya en het Kleintje omdat ze bang voor hen was. Ze had slechte herinneringen aan haar verblijf met hen op de politie-hondenschool. Destijds verdachten ze haar ervan een of ander spelletje tegen hen te spelen met de hulp van bewaakster Salma.

Nasya en ik gedroegen ons zo normaal mogelijk. Snezhana had geen problemen met ons maar koos altijd de kant van de twee anderen.

Op een dag werd het Kleintje kwaad op Zdravko. Woedend schreeuwde ze: 'Mannen horen in mannengevangenissen thuis. We kunnen hier niet samenleven.'

Ik begreep dat ze door jaloezie werd verteerd en dat ze het niet kon verdragen dat mijn man en ik in de gevangenis bij el-kaar waren terwijl zij alleen was. Toch was er niets om jaloers op te zijn...

Op een gegeven moment nam Zdravko haar terzijde en vroeg haar: 'Voel je je daar nou prettig bij, als je je zo gedraagt? Als je constant loopt te schreeuwen en te schoppen? En zo de sfeer verpest?'

Met een ongelukkig gezicht antwoordde ze: 'Nee.' Alsof ze bekende machteloos te staan ten aanzien van haar eigen ka-rakter.

Zodra zij eraan kwam, hing er spanning in de lucht.

Dit alles ging ten koste van de sfeer in Benghazi.

Valya was op haar beurt buitengewoon agressief. Ze was een fantastische muggenzifter, was waanzinnig oprecht, gemakke-lijk te doorzien, bereid om alles op zich te nemen, zelfs de ge-volgen van haar eigen, onzinnige gedrag. Als ze huilde, dan vanuit de grond van haar hart. Twistziek, lawaaierig en grof in de mond. Maar als het niet goed met ons ging, snelde ze ons te hulp zonder daar iets voor terug te verwachten.

Ze ontvlamde snel en bedaarde weer even snel. Op de moeilijkste momenten ging Valya zelfs zover dat ze buitenshuis om sigaretten en voedsel ging bedelen; daarna deelde ze alles met de anderen. De grillen en tranen liet ze in die periodes achterwege. Ze was taai, klaagde nooit en viel de anderen niet lastig met haar problemen.

Stoïcijns verdroeg ze haar leed. Ze keek recht voor zich uit, zonder dat er een klacht over haar lippen kwam. Ze had zelf niet door dat ze soms alles wat op haar weg lag wegvaagde. Maar ze nam zichzelf niet in bescherming. Als iemand zich niet goed voelde, was zij de eerste die de dokter ging halen. Ze maakte geen misbruik van andermans zwakte, bond alleen de strijd aan met wie terug kon vechten. Uit onnadenkendheid kon ze soms verraad plegen. We hadden een team kunnen vormen als ze zich minder onbezonnen, minder impulsief had gedragen. De illusie dat ze alles aankon maakte haar arrogant. Ze betaalde de prijs voor haar roekeloze gedrag, en wij ook. Ze was graag in de buurt van de politiemensen en liet zich beïnvloeden door het Kleintje.

In de gevangenis van Kuefia kregen we iedere dag grote flessen mineraalwater. Zelfs ik, die drie liter per dag dronk, kreeg het niet op. Zo bouwden we een grote voorraad op. Ik kwam op het idee er iets mee te doen en vroeg aan de politiemensen of ze het water wilden hebben in ruil voor Italiaanse koffie. Valya kreeg er lucht van. Ik voelde dat ze naar de hoofdbewaker Idriss wilde rennen om tegen hem te zeggen: 'Kristiana wil iets doen wat niet mag.'

Het leek wel een kleuterschool!

Ze had veel doorstaan. Ze was tweemaal met elektrische schokken gefolterd, vreselijke kevers hadden haar huid aangetast en ze was urenlang aan haar armen opgehangen, en toch had ze niets verteld wat niet al in het scenario van de politie stond. En nu, zonder de dreiging van zweep of elektrode, zonder dat iemand het haar vroeg, wilde ze de Libiërs een plezier doen door te klikken. Ze realiseerde zich niet dat we allemaal onder haar stommiteit te lijden konden hebben. En dat alles om bij een smeris een wit voetje te halen! En omdat ze bang was dat ik als enige van die ruil zou profiteren.

Ze heeft Idriss niet te spreken gekregen, maar wat ik op dat moment in haar ogen zag voelde ik als verraad. Ik heb twee maanden niet met haar gesproken. Ik had haar niets te zeggen.

Later heeft ze zich verontschuldigd, wat haar siert.

Maar het feit dat zowel het Kleintje als Snezhana het onophoudelijk nodig vond mij, al dan niet openlijk, op morele gronden te veroordelen en Nasya te beschuldigen, heeft me jarenlang dwarsgezeten.

Toen het lot ons bijeenbracht had ik een verleden, vrienden en herinneringen. Ik had met Zdravko gereisd, allerlei mensen ontmoet en uiteenlopende gerechten gegeten. Ik had een mooi leven gehad, en daar wrong voor hen de schoen. Ik had een binnentuin waarin ik me kon terugtrekken om op adem te komen. Ze hebben nooit toegegeven dat ze jaloers waren. Ze maakten gebruik van mijn ervaring, maar ik denk dat ze me haatten.

Ik heb ze nooit horen toegeven dat ze een vergissing in hun leven hebben begaan, zich hebben laten leiden door hun hartstocht, grenzen hebben overschreden. Zij waren de rechtmatigen, ik de zondares. Valya was de afspiegeling van de mensen met wie ze omging. Ze nam gemakkelijk de mening van anderen over alsof het de hare was. Het was dus belangrijk de laatste te zijn naar wie ze luisterde. Mijn optimisme sterkte haar, maar het treurige pessimisme van het Kleintje vergiftigde haar.

Ik deelde mijn gevoelens alleen met Nasya. Zij was de enige

met wie ik kon praten zonder bang te zijn dat ze zich tegen mij keerde. Ze heeft me geholpen te overleven.

Tijdens een van de laatste zittingen van het gerechtshof stond me een onaangename verrassing te wachten. De Hond had een camera en filmde het proces. Dat bewees dat hij de situatie meester was en wist dat hem niets kon overkomen. Sinds januari 2004 wisten we dat de advocaten die belast waren met onze verdediging een kopie hadden gekregen van een rapport van een aantal Libische artsen. Hieruit bleek dat ze, ondanks de verklaringen van de twee westerse hiv-specialisten, meenden dat het niet mogelijk was dat de infectie door het kinderziekenhuis zelf was veroorzaakt en dat er dus wel opzet in het spel moest zijn.

Hadden ze in Libië nog nooit gehoord van ziekenhuisinfecties?

6 mei 2004. Het is in Bulgarije een traditionele feestdag, die van Sint-Joris die de draak overwint. Sint-Joris, patroon van het Bulgaarse leger.

Het is tevens de laatste zitting van het strafhof van Benghazi.

We worden zoals altijd op dat soort dagen gewekt en 'voorbereid'. Ik heb in mijn tas een icoon van Sint-Joris gedaan die vrienden me hadden gestuurd. Een afbeelding in reliëf. Ik wilde de Bulgaren die op de televisie naar ons keken, laten zien dan we in de gevangenis onze afkomst en onze religieuze rituelen niet waren vergeten.

Ik heb er in de rechtbank mee staan zwaaien. De journalisten filmden. De politiemensen draaiden zich meteen zenuwachtig naar mij om. 'Wat is dat?'

'Een afbeelding.'

Verder hebben ze niets gevraagd. Sint-Joris zei hun niets.

Ik wilde dat de waarheid het won van de draak.

De spanning in de zaal was voelbaar. De rechter begon voor te lezen. Ik zag dat zijn hand trilde.

Het duurde lang. Zoals gewoonlijk hadden we geen tolk. Eindelijk kwam hij dan bij de slotzinnen van zijn relaas, die Ashraf probeerde te verstaan maar die echter verloren gingen in het geroezemoes van de al bijna jubelende zaal. 'In naam van de moeders, van de verwoeste levens veroordeel ik Nasya, Valya, Valentina, Kristiana, Snezhana en Ashraf tot de dood met de kogel.'

Binnen enkele seconden werden we uit de beklaagdenbank weggevoerd. We hadden het vonnis niet goed begrepen. Maar de vreugdekreten deden ons vermoeden dat de beslissing niet in ons voordeel was uitgevallen. De ouders van de kinderen omhelsden onze beulen, de vrouwen schreeuwden.

In de straten van Benghazi en rond het gerechtsgebouw kwamen mensen bijeen die hun vreugdegevoelens de vrije loop lieten. Hun stemmen klonken nog lang na. 'Dood!' 'Allah is groot!'

De rechtbank had zichzelf onbevoegd verklaard inzake de aanklacht tegen de officieren.

De artsen van Benghazi zijn niet verschenen, en dokter Saad evenmin.

Ze waren vrijgesproken. Het is duidelijk dat het vonnis van de 'onafhankelijke' Libische rechtbank van tevoren bij iedereen bekend was, behalve bij ons.

We hebben niet gehuild. We hadden allang geen tranen meer.

Een van de politiemensen die ons bewaakten toonde meer emotie. Met zijn handen op zijn hoofd zei hij steeds weer: 'Wat verachtelijk! Wat een schande!'

We zijn snel de binnenplaats overgestoken om terug naar de gevangenis te gaan. Nasya verbrak de stilte: 'Ze hebben Zdravko niet genoemd.'

Korte tijd later is de diplomaat Petrov ons komen vertellen dat Zdravko was vrijgelaten. Hij was veroordeeld tot slechts vier jaar gevangenisstraf en een boete van zeshonderd dinar voor illegale deviezenhandel. Omdat hij al meer dan vijf jaar had gezeten, kreeg hij toestemming Benghazi te verlaten in afwachting van een uitreisvisum uit Libië. Een visum dat ze hem nooit zouden geven. Ik was blij. Ik dacht niet aan mijn veroordeling. Zdravko was per vergissing in de gevangenis terechtgekomen omdat hij op zoek naar me was; hij was voor hen nutteloos. Hij had geen aanklacht ingediend tegen de politiemensen omdat ze hem niet hadden geslagen. Hij was volledig ongevaarlijk voor hen.

Onze ouders waren verlamd van schrik. We hebben lang naar Bulgarije gebeld om ze gerust te stellen. Om te vertellen dat dit nog niet het einde betekende. Dat we in beroep konden gaan, enzovoort.

We moesten Zdravko geruststellen. Hij kon niet wennen aan het idee dat hij vrij zou zijn zonder mij. Huilend zei hij: 'Ik wil niet vertrekken, ik wil bij jullie blijven.'

Ik moest ook hem tot bedaren brengen. 'Luister, buiten de gevangenis kun je ons beter helpen, maar je moet eerst zorgen dat je weer kerngezond wordt.'

Zdravko had geen keus en die avond heeft hij onze gevangenis verlaten. In stilte is hij in zijn eentje langs de gesloten stalen deuren van de rechtbank gelopen.

Ik dacht aan dat alles en zei bij mezelf dat in dit proces elke logica ontbrak. Mijn man was ervan beschuldigd bloedplasma te hebben geleverd dat de kinderen zou hebben besmet en hij kwam als vrij man de rechtbank uit.

Als hij onschuldig is, zoals de rechtbank heeft geoordeeld, wie is er dan wel schuldig? Waar kwam het duivelse bloed vandaan dat Benghazi in rouw heeft gedompeld?

Het proces was wat dit betreft op een dood punt beland. Zdravko verliet het toneel als een overbodige gijzelaar. Verbazingwekkend. Stuitend. Verbluffend. Onlogisch.

Het leek wel een cadeau, een aalmoes.

Het bleek dat hij niet naar Bulgarije terug kon; ze hadden hem zijn pas afgenomen, die trouwens na al die tijd verlopen was. Geen sprake van een visum zonder paspoort en geen paspoort zonder visum. Hij werd dus drie jaar lang vastgehouden in Libië, waar hij in zijn eigen kleine cel woonde, een zolderkamertje op de Bulgaarse ambassade in Tripoli.

Op 6 mei 2004 veranderde er weer iets in ons dagelijks bestaan. We werden gescheiden van Ashraf. Hij werd opgesloten in een gemeenschappelijke ruimte voor mannelijke gevangenen. Dat vonden we verschrikkelijk. Hij is in hongerstaking gegaan. De advocaten hebben hem ervan overtuigd dat hij zichzelf niet kapot moest maken en hij heeft zijn staking opgegeven, maar hij is de daaropvolgende drie jaar wel alleen gebleven.

We waren al veroordeeld tot de hoogst mogelijke straf, en niets zou meer zijn als voorheen.

Twee maanden later moesten we weer onze bagage pakken. We kregen een escorte naar het vliegveld en stapten in een burgervliegtuig naar Tripoli.

Op de heenweg hadden we de eer te mogen vliegen met de Gulf Stream, het privévliegtuig van Saif Kadhaffi.

Wij, de zogenaamde moordenaars van vierhonderd onschuldige kinderen, mochten in een burgertoestel naar Tripoli vliegen met een minimaal aantal bewakers en zonder handboeien.

Niemand hield ons voor schuldig, maar dat was van geen belang.

In Tripoli werden we meteen naar de gevangenis Djoudeida gebracht. Het was een gebed zonder eind. Zonder eind.

15

TERUG NAAR AF

Twee jaar na ons vertrek bleek er in Djoudeida niets te zijn veranderd. Dezelfde ingang, dezelfde smerigheid en ook dezelfde mensen wachtten ons daar. Toen drong het tot ons door dat ons gevangenisleven weer van voren af zou beginnen. In afwachting van het moment waarop het beroep voor het Opperste Gerechtshof in behandeling werd genomen. Dat zou weleens lang kunnen duren. Heel lang nog.

Ik wist dat we waardevolle gijzelaars waren, ik verwachtte niet dat ze ons zouden executeren. Zoals mijn moeder al zei: er was vast een weg die naar de vrijheid leidde. Er is altijd een weg, hoe kronkelig ook.

De cheffin Mabrouka ontving ons in haar opgeknapte cel. Er waren nu behoorlijke wc's. Er waren meer nieuwe dingen, zoals een koelkast en vier stapelbedden, terwijl we twee jaar eerder op de grond of op veldbedden sliepen. De levensomstandigheden in de gevangenis waren dus toch wel verbeterd. We zouden er drie maanden blijven.

We hebben dus samengeleefd met Mabrouka, veroordeeld tot vijftien jaar gevangenisstraf, en een Libische, veroordeeld tot levenslange gevangenisstraf omdat ze haar eigen kind had gedood. Een Somalische vrouw die twee mensen had gedood

zocht ons soms op (eentje had ze zelfs in de gevangenis omge-
bracht).

Alles welbeschouwd was het toch wel vreemd. Ik, de model-
verpleegkundige, en ook de anderen, omringd door moordenaars.

Wij waren de verschrikkelijkste moordenaars van allemaal,
want we hadden de dood van vierhonderd kinderen op ons geweten. Ieder van ons vond zichzelf een bijzondere gast hier en
we probeerden onze emoties de baas te blijven.

Mabrouka had zelfs respect voor Valentina 'het Kleintje', en
de dagen verliepen rustig.

De enige afleiding was de geïmproviseerde evangelische
dienst op de stinkende binnenplaats.

Bessy, een jonge, rijzige Nigeriaanse vrouw die nog mooier
was dan Naomi Campbell en veroordeeld wegens drugs-
gebruik, had de mooiste handen die ik ooit heb gezien: lange,
bevallige vingers en perfecte nagels. Ze was seropositief; waarschijnlijk had ze het dodelijke virus opgedaan via een injec-
tiespuit. Bessy vormde groepjes van dertig tot veertig gevangenen om te bidden, waarbij ze zelf gospels zong. Ik zat samen
met Nasya in een hoekje te luisteren en we waren blij voor
hen. Ze hadden een manier gevonden om in dit smerige oord
met God te communiceren.

Lege waterflessen dienden als trommels, en zo vormden de
vrouwen een driestemmig koor en leken gelukkig. Het mooiste ogenblik was als ze na de dienst bij ons kwamen, ons omhelsden en zeiden: 'God zij met u!'

Alles wat we nodig hadden was veel liefde en een beetje
hoop.

Bessy is vorig jaar gestorven, in de gevangenis.

Ik kookte weer. De Libische vrouwen waren tevreden, want
volgens hen was mijn regionale keuken beter dan die van hen.

We hadden niet veel ruimte, maar de eerste negentig dagen verliepen rustig.

Wel kreeg ik een enorm abces op de achterkant van mijn been, waardoor ik niet kon slapen van de pijn. Het kostte me moeite om te gaan zitten en liggen was nog erger. De gevangenisarts zei dat ik moest worden geopereerd. Tot tien dagen na de operatie in de kliniek werd ik vaak naar de eerstehulppost gebracht om het verband te verschonen. Zdravko bezocht me. Het was hem gelukt de kliniek binnen te glippen, en vervolgens slaagden we erin op de eerstehulppost stiekem enkele minuten bij elkaar te zijn. Ondertussen was er op de binnenplaats van de gevangenis speciaal voor ons, Bulgaarse verpleegsters, een gebouwtje opgetrokken.

Zdravko probeerde ons vanuit zijn woonruimte in de ambassade van nut te zijn. Zijn bezoeken waren niet genoeg voor ons. We moesten elkaar schrijven. Ik heb enkele van die toen zo waardevolle brieven kunnen bewaren. Maar andere zijn verdwenen.

Fragmenten uit brieven aan Zdravko
geschreven tijdens ons tweede verblijf in Djoudeida

8 augustus 2004,

Hallo zonnetje van me, ik hou veel van je en wil per se niet dat je je opwindt. Je weet dat ik me overal en altijd kan aanpassen. God heeft me geduld en kracht geschonken en ik geef me niet gewonnen. Je weet dat het hier eigenlijk om afgunst en jaloezie gaat. Het waait wel weer over. Zoals het al vaker is gegaan.

Ze zeggen dat we over een week naar een nieuwe plek worden overgebracht – het gevangenishuis dat nu wordt gebouwd. We hebben begrepen dat er traliewerk boven de binnenplaats wordt geplaatst.

Nu mogen we zelfs dus niet meer onbelemmerd naar de hemel kijken. We zullen hem gestreept zien, door het metaal, zoals in de gevangenis van Guantanamo.

Ik schrijf deze brief omdat ik niet zeker weet of het me lukt om morgen bij de telefoon te komen.

Je weet immers heel goed dat je hier niets kunt plannen.

Ik hou van je. Wees voorzichtig.

Krissy!

21 augustus 2004,

Zdravko, de telefoon doet het niet, dus ik kan niet met je praten.

Er gebeurt hier niets. De dagen verlopen rustig. Het is erg warm en ik zit meestal in mijn kamer. Ik borduur wat, kook, maak kruiswoordraadsels, lees, slaap... en dan begint alles weer van voren af aan. Ik droom zelden. Ik denk dat dat de grootste luxe is. Ik probeer wat positiefs in de leegte te vinden. Ik kom tot rust en ik weet niet waar ik de hoop en het geduld vandaan haal. Als ik maar de kracht behoud om te geloven en te hopen. Er zijn twee dingen waar ik in het leven in geloof: God en jou. Alle anderen hebben me een beetje – of helemaal – laten vallen. De laatste tijd voel ik me schuldig ten opzichte van jou. Ik ben een paar keer onrechtvaardig, gemeen en dom geweest. Ik weet dat je me vergeeft, maar ik zou graag mezelf kunnen vergeven. Ik wil je zeggen dat ik veel van je hou, en ondanks alles wat er de afgelopen jaren is gebeurd zeg ik: 'Mijn God, ik dank u dat Zdravko bestaat en hij mijn man is.'

Mijn zonnetje, ik wil met je praten. Veel, heel veel. Ik zou veel lekkere dingen voor je willen maken. Niet alleen maar penssoep. En je nog gelukkiger maken, je het nog veel meer naar de zin maken dan de afgelopen twintig jaar. Als ik de kans maar krijg. Je verdient meer en ik zal alles doen wat ik

kan. Ik beloof het je. Ik ben nu een heel fijn boek aan het le-
zen; ik zal het je geven. Jij zou het geschreven kunnen hebben.
Gek, maar ik heb al een hele tijd zin om worstjes met scherpe
Bulgaarse mosterd te eten.

Als de telefoon het weer doet, bel ik.

Veel liefs, Krissy

29 augustus 2004,

Hallo Zdravko, gisteren deed de telefoon het, maar ze hebben hem niet aangesloten. Je weet dat hier alles afhangt van
het humeur van de mensen.

Donderdagavond hebben we op het kantoor van Youssef de
gevangenisdirecteur de Amerikaan ontmoet. Er was een camera van CNN. Ik vertaalde af en toe, want hij praatte nogal
binnensmonds. We hebben hem allereerst in een paar woorden verteld wat voor ons het belangrijkst is. Daarna pakte hij
onze handen en hebben we gebeden. Toen hebben ze Ashraf
binnengebracht. Hij zei dat het redelijk goed met hem ging en
dat hij de moed erin hield. De Amerikaan vertelde dat hij naar
zijn volgende missie in Soedan vertrok. Ik heb zó genoeg van
al dat komen en gaan van mensen, van al die ontmoetingen
die niks opleveren.

We hebben geruchten gehoord dat we donderdag gaan ver-
huizen. Alles moet al klaar en ingericht zijn.

Ze zijn nu de buitenmuur aan het afmaken. Valentina zorgt
voortdurend voor extra spanning. Ik reageer er niet op, maar
Nasya wordt er depressief van. Er is niets bijzonders gebeurd,
maar zoals je weet is het Kleintje bijzonder agressief.

De broek van Leila staat haar erg goed en ze heeft de hele
avond trots door de gevangenis gewandeld, opscheppend over
het cadeau van haar vriendin Kristiana. De arme Mabrouka
bedankt je en wenst je het allerbeste.

Ze vertelt overal in de gevangenis hoe mooi je bent en dat je enthousiast naar haar hebt gezwaaid. Je weet hoe goed de Libiërs instinctief aanvoelen wat goede mensen zijn en dat kleine gebaren veel indruk op hen maken.

Pas op dat je niet afvalt en controleer je bloeddruk. Verwaarloos jezelf niet, denk eraan dat je goed voor jezelf zorgt. Ik hou van je!

Dikke zoenen van Nasya.

Krissy

18 september 2004,

We zijn nu apart gezet. De bestelde producten zijn niet geleverd en er is een stroomstoring. We hebben op de deur geklopt. Ze hebben ons als dieren opgesloten en niemand bekommert zich nog om ons. Dat God ons behoede. Het vervelendst voor mij is met de anderen in één vertrek te moeten leven. Goddank blijft het Kleintje bijna de hele tijd in de huiskamer zitten borduren.

Ik luister samen met Nasya urenlang buiten naar muziek. Als de Libiërs er niet waren zouden we ons beter op ons gemak voelen en zouden er minder spanningen zijn.

Fragment uit een brief van Zdravko

20 november 2004,

De waarheid is dat goedheid en liefde daar zijn waar slechts ziekte en dood heersen. Daarom moeten verpleegkundigen goed en mooi zijn. Vooral jij. Jij hebt altijd graag champagne gedronken, maar had vaak alleen geld voor bier. Ik droom ervan met jou in Bulgarije te zijn, een bar in te gaan waar de jongste wijn uit 1980 is en de oudste serveerster twintig.

Liefs, Zdravko

Dag Zdravko, Aïsja Kadhaffi, de dochter van, komt in de gevangenis op bezoek en we mogen niet bellen. Ze vertelt van haar ontmoetingen met de gevangenen in de kamer van de dienstdoende officier; een chiquere plek heeft ze geweigerd. Ze praat met degenen van wie de doodstraf is bekrachtigd, een vrouw en twaalf mannen.

We hebben hen niet gezien. Volgens de laatste geruchten zou ze hier wel een maand kunnen blijven. We vinden dat niet prettig, want in de tussentijd mogen we geen bezoek ontvangen.

Tijdens de verhuizing verstijfde ik ineens toen ik de binnenplaats overliep, want ik ontwaarde op enkele meters van mij vandaan een man die mij dagenlang met kabels en knuppels had geslagen. Ik ben naar het vertrek van de bewaaksters gevlucht en verklaarde luidkeels dat als hij op de binnenplaats bleef, ik weigerde hem over te steken! Ik heb gewacht tot hij weg was.

Later vernamen we dat onze beulen waren vrijgesproken en dat het parket niet in beroep was gegaan.

Onze gevangenis in de gevangenis was een schoon huisje met twee vertrekken, helemaal nieuw ingericht met een tafel, kasten en stapelbedden.

In het begin hebben ze in het ene vertrek vijf Libische vrouwen gestopt en ons in het andere. Na de smerige cellen leek dit wel een hotel. In de maanden erna hebben we in een kamer een televisie neergezet en de keuken ingericht met een fornuis, een tafel en twee kooktoestellen op gas. De apparaten waren door de ambassade aangeschaft.

Tussen beide slaapkamers en de huiskamer lag een kleine binnenplaats met twee palmbomen.

De Libische vrouwen waren er om ons in de gaten te houden. Ze liepen openlijk met mobiele telefoons rond terwijl dat verboden was. Een van hen was continu heel druk informatie aan het doorspelen.

We hoorden later dat ze aanklachten tegen ons aan het opschrijven was. Een andere gevangene uit dezelfde kamer had ons voor haar gewaarschuwd.

De verklikster was lerares aardrijkskunde en had levenslang gekregen voor de moord op haar man. Naast haar sliep een meisje van vijfentwintig. Ze zat hier alleen maar omdat ze ervan verdacht werd haar man te hebben geholpen uit de gevangenis te ontsnappen. Ze was rijk, had relaties, maar had niet aan de wet kunnen ontsnappen. Ze stond aan onze kant. Ik had haar een klein zilveren medaillon gegeven waarop een lieveheersbeestje stond afgebeeld. De verklikster had geschreven dat ik het meisje een orthodox kruis had gegeven en erbij had gezegd dat ze dat altijd moest dragen. Dit kon worden uitgelegd als een inbreuk op het islamitisch geloof. Ze kon alles doorbrieven wat ze maar wilde.

Maar wij waren de meest voorbeeldige gevangenen die er bestonden. We konden het ons niet veroorloven de regels te overtreden, want we hadden nu de aandacht van de hele Europese Unie. De westerse diplomatie was in beweging gekomen. De Libiërs waren dat ook.

Ik leefde van dag tot dag. Ik wist dat ik ooit zou vertrekken maar maakte geen plannen. Ik dacht enkel na over wat ik nodig had om te koken. Ik heb jarenlang gekookt en vertaald; daar was ik goed in. Ik wilde alleen dat een dag rustig verliep. Dat we in leven bleven. Dat we nergens anders naartoe gingen. Dat ik een goed boek kon bemachtigen. Dat ik een goede film kon zien. Dat ik kon koken.

Iemand die aan morgen denkt, leeft niet in het heden.

In het begin deelden we de kamer met z'n vijven. Ik sliep bij de deur. Alle deuren waren geblindeerd en er zaten enorme hangsloten op, want eruit mochten we niet. Later werden de bewakers minder streng.

Het was een koude winter. Het Kleintje stond iedere nacht op, trapte de deur naast mijn bed open en ging met oorverdovend lawaai naar de wc. Als ze terugkwam maakte ze nog meer herrie; en weer schopte ze de deur open, om frisse lucht binnen te laten. Zo werden we iedere nacht met een schok wakker. Het hele jaar door!

Het leek wel een explosie. Eén keer kwam een van de politiemannen kwaad binnenlopen en vroeg luidkeels waar al die herrie vandaan kwam. We konden er niet meer tegen. De kamer hing vol negatieve, jarenlang opgehoopte energie.

Ik sprak allang niet meer met het Kleintje. Die stilte legde een extra druk op ons samenzijn. Ik zweeg omdat ze zich zo hysterisch gedroeg. Ik was van mening dat het geen zin had iets te zeggen, aangezien ze op geen enkele manier liet merken dat ze iets aan de situatie wilde doen.

Slechts heel af en toe wierp Valya, nog half in slaap, haar bij iedere trap tegen de deur iets toe: 'Even dimmen, jij.'

De ander schreeuwde opmerkingen terug die kant noch wal raakten. Ten slotte begon haar gedrag zelfs Valya op de zenuwen te werken. Het Kleintje luisterde niet naar haar, ze hield met niemand rekening. Ik denk dat een karakter als het hare al helemaal niet bestand was tegen opsluiting.

Maar het geweld van het Kleintje beperkte zich niet tot de nacht. Als we rustig televisie zaten te kijken, waren we er nooit zeker van of ze niet weer een harde trap tegen het apparaat zou komen geven. Zonder iets te zeggen, zonder uitleg.

Iedere reactie van ons zou dan tot een heftige ruzie kunnen leiden. Wat geen enkele zin had. Ze was voortdurend woedend, dus zwegen we; dat was eenvoudiger.

Misschien had ze hulp nodig om begrepen te worden, maar ze heeft die nooit gevraagd. Ieder van ons was druk met zijn eigen trauma's. We hadden niet de kracht of de energie om haar geschreeuw te negeren. We probeerden onszelf er zo goed en zo kwaad als het ging tegen te beschermen. Ik wilde dat er een wonder gebeurde en dat ieder van ons zijn zorgen en kwelgeesten kwijt was. Dat we een manier vonden om met elkaar te praten.

'Ze is vreemd,' zeiden bezoekers die haar probeerden te begrijpen.

De situatie viel me zwaar. Helaas begreep niemand dat ik rust nodig had. Ik kon me inmiddels nauwelijks nog beheersen. Mijn optimistische aard dreigde het slachtoffer te worden van de steeds talrijkere tegenslagen. Jarenlang heb ik alles over me heen laten komen en geprobeerd een soort evenwicht te bewaren. Nu kon ik dat niet meer. Ik zag me al een mes pakken om haar neer te steken. Ik was bang voor mijn eigen gedachten. Ik heb me voorgenomen zoiets nooit te doen. En toch gebeurde het op 14 augustus 2005.

Ik herinner me die dag heel goed omdat ik vastte en de dag erna weer vlees zou eten. We zaten nog in dezelfde kamer.

Valya en Valentina het Kleintje zaten te borduren. De lamp was aan, hoewel het licht was.

Nasya deed de lamp uit om niet door de camera te worden gezien die onlangs was geïnstalleerd om ons in de gaten te houden. Ze wilde niet dat ze zagen dat ze zich uitkleedde. Het Kleintje schreeuwde meteen: 'Niet uitdoen, vetklomp! Idioot! Doe aan... Doe meteen het licht weer aan!'

Ik was in de kamer ernaast en hoorde het geschreeuw. Ik rende ernaartoe en bleef voor de deur staan. Ik zag dat het Kleintje opstond, een dik boek pakte en Nasya ermee op haar rug sloeg. Een ogenblik kon ik geen woord uitbrengen bij de aanblik van dit geweld, maar plotseling voelde ik het bloed naar mijn hoofd stijgen. Ik liep naar haar toe en keek haar recht in haar ogen. Meteen reageerde ze, provocerend: 'Wat kijk je, heb ik soms iets van je aan?' Maar ze begreep dat er iets stond te gebeuren.

Ik verloor mijn zelfbeheersing, greep haar beet, gaf haar een klap en krabde haar wang open zonder dat ik het in de gaten had. De anderen haalden ons uit elkaar. Om me heen werd alles wazig. Toen kwam ik weer tot rust. Ze ging haar bloedende wang wassen onder de kraan, en in het voorbijgaan beet ze me een belediging toe waaruit haar jaloezie en haar verbittering sprak: zij had een deel van haar leven verprutst, zij zat niet lekker in haar vel, terwijl het met mij volgens haar prima ging.

Haar hysterische gedrag stak weer de kop op. Het bloed van haar gezicht vegend wierp ze me toe: 'Ha, schoonheid! Onze schoonheid heeft een mooi leventje geleid!' Mijn enige reactie was, op kalme toon: 'Nog één keer en je zult hier in een kist naar buiten worden gedragen.' Na dit incident volgden een aantal rustige maanden. Van tijd tot tijd fluisterde het Kleintje tegen Valya: 'We zitten in de gevangenis. Dan kan er van alles gebeuren. Ik bedoelde het niet zo.'

Ik denk dat de druk van haar ketel was dankzij het feit dat ze werkelijk iemand te lijf was gegaan.

Er werd een verdieping op ons 'privéverblijf' gebouwd, waarin twaalf Libische gevangenen zouden worden ondergebracht die tot lichtere straffen waren veroordeeld. Het feit dat wij nu over een grotere privéruimte konden beschikken, heeft ons geholpen te overleven.

Nasya ging rond middernacht naar bed en werd iedere ochtend om zes uur wakker. Ze liep dan naar de keuken, waste af, ruimde de koelkast op, veegde het aanrecht schoon, maakte koffie en ging voor de televisie zitten. Na de ochtendkoffie ging ik naar de keuken. Dat was mijn domein. Ik wist dat eten de spanning kon verkleinen, dus kookte ik maar, voor ons vijven, zonder me met de anderen te bemoeien.

Ik verdeelde de binnengekomen producten, ruimde de groenten op, deed bestellingen, maakte het vlees klaar en ruimde de kasten op. Ik maakte iedere dag twee maaltijden klaar; de lunch was altijd om half een.

De laatste jaren deed iedereen de afwas, maar meestal hielden alleen Nasya en ik ons met de keuken bezig. Valentina kookte niet graag en bemoeide zich er ook niet mee. Heel soms maakte ze weleens een chocoladetaart, en daar was ze dan ook goed in. Misschien kon ze ook andere dingen maken, maar daar zijn we nooit achter gekomen. Ze hield vast aan haar passieve rol.

Snezhana maakte boontjes als de beste, Valya broodjes en koeken, Nasya karamelpudding en gekarameliseerde popcorn. Nasya kookte niet vaak maar compenseerde dat door te poetsen. Ze had geen enkele pretentie op culinair gebied.

Ik vroeg iedereen wat ze wilde eten en maakte iets klaar wat ten minste een van hen lekker vond, maar het lukte niet altijd het iedereen naar de zin te maken.

Boontjes, penssoep, gevulde koolrolletjes, pizza, gehaktballen, hartige pannenkoeken, kiprolletjes met paddenstoelen, groenten in pekel en karamelpudding. Gerechten die iedereen at, maar ze waren altijd een compromis.

Soms kookte ik een poos niet, maar ik zag al snel in dat dat niet verstandig was. Want dan gingen de anderen in de keuken zitten en begonnen ze ruzie te maken. Wie doet de afwas? Wie kookt er? Eerlijk gezegd maakte het mij niets uit. Ik kookte graag, was graag met etenswaren bezig; dan ging de tijd sneller voorbij.

We hebben geprobeerd op bescheiden wijze Kerstmis en Pasen te vieren.

Volgens de orthodoxe traditie moesten we een week vóór de vasten de ouderen, vrienden en familie om vergeving vragen. Toen we in 2002 in het huis in Drebi zaten, had ik iedereen om vergeving gevraagd. Het Kleintje riep toen hysterisch: 'Niets daarvan! Ik vergeef niemand iets!'

De jaren erna hebben we desondanks ons best gedaan om onder elkaar deze traditie in ere te houden. Maar het Kleintje nam er nooit aan deel. Ik weet niet of ze op haar eigen manier om vergiffenis heeft gevraagd.

Op nieuwjaarsdag hebben we naar Bulgaars gebruik voor iedereen een koek gemaakt, een wens uit de krant geknipt en deze in de koek gedaan. Vaak was dit 'geld', 'vrijheid', 'Bulgarije' of 'gezondheid'. Soms waren ze echt grappig: siliconenborsten, een nacht met Brad Pitt!

We hebben een lange lijdensweg moeten gaan voordat we leerden hoe we goed konden samenleven. Het heeft tot het laatste jaar geduurd. De dialoog met Valentina kwam weer wat op gang. We waren wat ouder, moe van het wachten en iedereen had zijn zegje wel gedaan; we konden zonder veel wrijvingen met elkaar samenleven, zoals ik altijd had gewenst.

In de loop van de jaren legden we ons neer bij het idee samen oud te worden.

Voor ons stond de tijd stil in afwachting van een nieuw proces voor het Opperste Gerechtshof. Onze problemen ontstegen het alledaagse niveau niet. We moesten de tijd zien door te komen terwijl het moeilijk was ook maar enige zin aan ons bestaan te geven. We hebben de film *Night Move* gezien. Het is een waargebeurd verhaal.

Als ik geen pijn had, ging alles goed. Maar eind 2004 werd ik wakker met pijn in mijn nek. Ik huilde wanhopig; pijnstillers hielpen niet meer. Niets kon mijn pijn verlichten.

Toen schreef ik Zdravko dat ik vanwege die pijn woedend aan God vroeg 'wat ik hier deed en wanneer ik zou gaan'!

16

DE WERELD KOMT VOOR ONS IN BEWEGING

Plotseling staan we in de hele wereld in het middelpunt van de belangstelling zonder dat we er iets voor hebben hoeven doen. Wij, gewone Oost-Europese vrouwen, hebben meer hooggeplaatste leiders ontmoet dan welk ander gewoon mens dan ook in zijn leven krijgt te zien.

Het was ons lot om in de gevangenis bekende wereldburgers te worden.

Ik was liever verschoond gebleven van al die gebeurtenissen waardoor ik al die hoogwaardigheidsbekleders had leren kennen. Maar dit hing, net als veel van wat er in de afgelopen jaren was gebeurd, niet van mij af. In mijn jeugd, opgegroeid in modder en ellende, had ik nooit kunnen denken dat leiders uit Groot-Brittannië, de Verenigde Staten, Duitsland, Frankrijk en Rusland zouden weten dat ik bestond.

Ik had graag de Bulgaarse president in andere omstandigheden leren kennen en niet als een beroemde gevangene in de gevangenis van Djoudeida. Georgi Parvanov is ons in mei 2005 komen opzoeken. We werden hiervoor al 's ochtends naar de gevangenispolitie gebracht. We zijn de hele ochtend van de ene zitbank naar de andere verhuisd in afwachting van zijn bezoek. We kregen fruit en sandwiches. Het werd laat en we waren het wachten beu. Er was niets meer over van onze make-up en onze mooie kleding. Uiteindelijk kwam hij om zeven uur 's avonds. Hij had een drukke dag gehad. 'Ik was in Benghazi. Ik heb de kinderen bezocht en leider Kadhaffi ontmoet.'

Maar wij interesseerden ons voor heel andere dingen dan een verslag van zijn programma. We praatten allemaal door elkaar. Een stortvloed aan problemen van ons dagelijks leven: we hebben geen telefoon, we willen niet langer de kamers delen met de Libische vrouwen, we willen medische verzorging en ga zo maar door.

Er werd aan onze verzoeken voldaan. We kregen telefoon en mochten tweemaal per week naar Bulgarije en de ambassade bellen. Vierentwintig minuten per persoon. In het begin hielden we ons nauwkeurig aan de toegestane tijd. Sommige aardige bewakers gaven ons weleens wat meer tijd. Ze wisten dat het lang duurde voordat we verbinding met Bulgarije hadden, soms meer dan twintig minuten!

Maar de eerste die ons daarna in de gevangenis bezocht was de ambassadeur van Spanje. Hij vroeg ons of we klachten hadden met betrekking tot het dagelijks leven. Ook de ambassadeur van Duitsland is bij ons geweest, maar ik herinner me hem nog maar vaag. Sir Anthony Layden, tot 2006 Brits ambassadeur, en zijn vrouw Josephine hebben echter een plaats in mijn hart veroverd. Die man had veel uitstraling. Hij stelde serieuze vragen, was stellig en gedroeg zich op een manier die ons moed gaf. Ik geloofde in deze krachtige persoonlijkheid, was er zeker van dat we hem konden vertrouwen.

De eerste keer dat hij bij ons kwam was in Benghazi. Hij is niet vaak naar Tripoli gekomen, maar als hij kwam sprak hij nooit loze woorden. Sir Anthony Layden heeft ons als enige een handgeschreven brief gestuurd. Het was een persoonlijke brief, met veel gevoel geschreven, zonder kille diplomatieke taal. Sir Anthony nam actief aan de onderhandelingen deel om een oplossing voor de crisis te vinden. Voordat hij naar Tripoli werd overgeplaatst, was hij ambassadeur in Marokko en in Oman. Dertig jaar geleden is hij zijn carrière begonnen, maar verder weten we natuurlijk niet veel van hem. Sir Anthony gedroeg zich als een menselijke diplomaat.

Ik publiceer zijn brief met zijn toestemming.

Tripoli,
7 december 2004

Beste Kristiana, Nasya, Snezhana, Valya en Valentina,
Josephine en ik maken ons grote zorgen bij de gedachte dat jullie, arme onschuldigen, bij het naderen van alweer een Kerstmis nog gevangenzitten. Via Zdravko krijgen we voortdurend informatie over de omstandigheden van jullie gevangenschap, die beter zouden moeten zijn dan het geval is. Er vinden uiteraard voortdurend gesprekken plaats tussen de ambassadeurs hier in Tripoli om de beste manier te bepalen om jullie zo spoedig mogelijk vrij te krijgen. De Bulgaarse ambassadeur, Zdravko Velev, houdt u waarschijnlijk van de ontwikkelingen in uw zaak op de hoogte. Het advies dat we van naasten van de onvoorspelbare leider van dit land hebben gekregen houdt in dat er voor de betrokken landen de grootste kans op resultaat bestaat door humanitaire hulp te bieden aan de vierhonderd met aids besmette kinderen van Benghazi. Ik blijf er bij de Libische autoriteiten op hameren dat het proces van Benghazi volkomen onaanvaardbaar is en dat het in hechtenis houden van u een obstakel blijft voor het normaliseren van de betrekkingen tussen Libië, Groot-Brittannië en de overige Europese landen.
De ambassade van Groot-Brittannië in Sofia heeft hierover

eveneens contact gehad met uw regering. Ik weet dat toen de Europese Unie besloot het wapenembargo tegen Libië op te heffen, uw regering het wilde handhaven in afwachting van uw vrijlating – en Europa verloor hiermee inderdaad een belangrijk onderhandelingspunt. De Britse regering nam op mijn advies een ander standpunt in. Na gesproken te hebben met mensen in de omgeving van de Libische leider waren wij van mening dat indien uw vrijlating voor Europa een voorwaarde zou zijn voor het opheffen van het wapenembargo, kolonel Kadhaffi als volgt zou reageren: 'Prima. Dan red ik het wel zonder Europa en zijn wapens. Libië kan heel goed op eigen kracht overleven. We staan geen buitenlandse inmenging toe in ons rechtssysteem.'

In Groot-Brittannië beschouwen wij het embargo als volkomen gerechtvaardigd gezien de hardnekkige Libische aanvallen op Europese landen en tegen Europese belangen. Ons doel was Libië te dwingen zijn gedrag te wijzigen en dus te stoppen met destructieve acties. Als we willen dat dergelijke maatregelen effectief zijn en als we willen dat de terroristische acties stoppen, dan dient Europa te tonen dat het embargo zal worden opgeheven als het terrorisme stopt.

Beste vrienden, ik weet niet of u het daarmee eens bent en of u van mening bent dat we de juiste weg bewandelen. Ik weet niet of ik in uw situatie zo gedacht zou hebben. Maar ik ben zelf oprecht van mening dat deze manier van handelen de meeste kans biedt om u te helpen. We laten de Libiërs zien dat indien zij hun gedrag aanpassen overeenkomstig onze wensen, wij zullen handelen zoals ze van ons verlangen. Ik hoop dat er dankzij het wederzijdse vertrouwen dat er langzaam tussen ons ontstaat andere doelen kunnen worden bereikt, inclusief uw vrijlating.

Het is bepaald niet prettig op een dergelijke manier afwegingen te moeten maken ten aanzien van het lot van mensen die om te beginnen al niet gevangen behoren te zitten, maar die bovendien in hechtenis zitten in wrede en onterechte omstandigheden. Maar als wij ervoor willen zorgen dat u zo spoedig mogelijk wordt vrijgelaten, moeten we wel zo handelen. Ik hoop dat u ten minste wilt proberen dit te begrijpen!

Wat zal er volgens mij nu gebeuren? Er zijn tekens die wijzen op strafverlichting bij uw veroordeling in beroep of op gratie. Veel belangrijke mensen in Libië zijn van mening dat deze zaak veel schade kan toebrengen aan de reputatie van het land en de aantrekkelijkheid ervan voor potentiële investeerders. Voor anderen is het van groter belang de regering van Libië vastberaden te verdedigen en het systeem te steunen. Ik meen dat er gestaag vooruitgang wordt geboekt, hoewel de traagheid van de hervormingen ontmoedigend is. Mijn regering en haar ambassade blijven al het mogelijke doen om Libië te motiveren op de ingeslagen weg door te gaan. Ik weet zeker dat u zult worden vrijgelaten. Helaas kan ik u niet zeggen wanneer dat zal zijn. Ik bid dat het zo snel mogelijk is.

Josephine en ik maken het goed; het leven in Tripoli bestaat nog altijd hoofdzakelijk uit werken, al is dit werk niet altijd zo interessant als het in andere ambassades weleens is geweest. Onze families maken het goed, we gaan Kerstmis in Schotland doorbrengen. We zullen allemaal aan u denken en voor u bidden.

Deze woorden kunnen u zwak en onbevredigend lijken, maar ik hoop dat het immense geduld en de buitengewone kracht die u tijdens uw beproeving hebt getoond, u nu niet in de steek zullen laten. God zij met u!

Anthony

Een jaar later – 25 december 2005.

Het Opperste Gerechtshof van Libië heeft het vonnis van onze terdoodveroordeling vernietigd. De zaak wordt verwezen naar een andere rechtbank. We hadden blij moeten zijn, want het was een juiste beslissing. Maar het betekende nog niet het einde. We hoopten nog steeds dat er ontlastende feiten mochten worden aangevoerd voor onze verdediging: medische analyses die aantoonden dat de epidemie zich al vóór 1997 voordeed; het feit dat we gemarteld zijn en onze bekentenissen met geweld zijn afgedwongen; de talrijke onregelmatigheden in het onderzoek en vooral de zogenaamde analyses van de plasmaflesjes; het feit dat we onze bekentenissen hebben ingetrokken zodra dat mogelijk was.

Ik had onder marteling in het Arabisch opgestelde documenten ondertekend. Nasya en Ashraf eveneens. Alleen Valya had niets ondertekend. Ik had door de gevangenisgangen gebruld: 'Teken vooral niets zonder tolk!'

We wilden vrijspraak.

Terwijl we alle elementen waaruit onze onschuld bleek uitzochten, had de Libische staat tijdwinst geboekt doordat het Opperste Gerecht het vonnis had vernietigd en de zaak naar een andere rechtbank had verwezen.

Daar heeft het land ruimschoots gebruik van gemaakt.

Op dat moment begonnen de laatste onderhandelingen. We moesten ons erbij neerleggen als pingpongballen te dienen in een spel waarin om grote geldbedragen werd gespeeld. De ouders van de zieke kinderen wilden niet toegeven. Bulgarije moest betalen. De eisen voor vrijlating van de verpleegsters en de arts waren buitengewoon hoog. 'U kunt ze mee naar huis nemen als wij compensatiebedragen hebben ontvangen.'

De stichting van gezinnen met kinderen die door het hiv-virus zijn besmet, verlangde:

1) dat de kinderen in Europa in gespecialiseerde klinieken werden opgenomen;

2) de bouw van een gespecialiseerd ziekenhuis in Benghazi;

3) de levering van alle voor de kinderen noodzakelijke medicijnen en een adequate schadeloosstelling.

'We willen tien miljoen euro per kind.'

Groot-Brittannië heeft toen het idee geopperd een 'internationaal fonds Benghazi' op te richten dat voor levenslange verzorging van de zieke kinderen moet zorgen, evenals voor de overige door de gezinnen gestelde voorwaarden.

Het was duidelijk dat niemand hun zoveel geld zou geven. Libië zelf zou nooit hebben toegestaan dat een stad die beschouwd werd als slechtgezind jegens de leider en zijn regime, ineens bijna vijfhonderd miljonairs zou tellen.

Europa heeft ingezien dat de stichting van de families een spelletje speelde en heeft die houding aan de kaak gesteld. 'We leven mee met het drama in Libië maar we vragen vrijlating van het medische personeel.'

Dit is wel honderd keer herhaald. De regering antwoordde: 'De Libische justitie is onafhankelijk en de staat kan zich hierin niet mengen.'

Ons nieuwe proces was ontmoedigend, het was één groot circus. Sommige getuigen wezen een van ons aan als de verpleegkundige die de kinderen had besmet met het aidsvirus. 'Ik zweer in naam van Allah dat ik de waarheid, niets dan de waarheid, de hele waarheid spreek,' zei een van de door het hof opgeroepen moeders die moest aanwijzen wie de dader was.

Ze liep naar de tralies, haalde haar hand van haar hart en wees op een van ons, toen op een tweede en een derde, en zo verder.

Ik weet niet wie ze als laatste aanwees. Het liet ons allemaal zo onverschillig dat we alleen maar haat en minachtig voelden. De pijn was allang verdwenen. Deze mensen hadden geleden, er zouden kinderen sterven, het was een afschuwelijk drama, maar wij hadden het niet veroorzaakt. Deze vrouw had de leiding van de gezondheidszorg moeten aanwijzen, de ministers, iedereen die in haar land belast was met de veiligheid van de gezondheidszorg van deze kinderen.

Het proces moest eerlijk lijken.

Daarom liet het parket de films zien die tijdens het doorzoeken van mijn appartement waren opgenomen. Dat deed me pijn. Ik zag de foto's. Ik dacht aan het leven dat ze me hadden afgenomen, aan die mooie, al zo verre ogenblikken. Ik zag mijn overhoopgehaalde woning. De Chemicus liet de lege plasmaflessen zien en we hoorden hem op het moment van hun 'ontdekking' zeggen: 'We moeten voorzichtig zijn, want hier zit het aidsvirus in.'

Ik heb me diep in mezelf teruggetrokken. Ik heb niet meer geluisterd. Ik wilde mijn leven terug. Ik wilde naar huis. Weg uit dit land! Ik wilde dat dit alles ophield. Het kon me niets meer schelen of ik werd vrijgesproken of ter dood veroordeeld, het interesseerde me niet meer.

Ik begreep dat niets van wat er in deze rechtszaal gebeurde effect zou hebben op mijn toekomstige leven. Ergens, op een ander niveau, werd er over mijn lot beslist. Met andere middelen en andere argumenten. Politiek en geld hadden de macht, niet de geneeskunde of de rechtspraak.

Toen op 19 december 2006 hetzelfde parket ons vijven en Ashraf tot de doodstraf veroordeelde, voelde ik me vreselijk moe. Maar verder niets.

Ik, de eeuwige optimist, die overal wel iets positiefs in zag, zelfs in meest verwarrende situaties, lachte niet meer. Ik was helemaal leeg.

Ik wist dat ik ooit weg zou gaan. Het was duidelijk dat ze ons alleen maar in leven hielden om te bereiken wat de leider van dit land wilde.

Maar niet weten wanneer ik weg zou zijn, in vrijheid, ver van dit hele beschamende circus, dat maakte me al bij voorbaat kapot.

In januari 2007 dienden de politiemensen die ons hadden gemarteld een aanklacht tegen ons in wegens 'laster'. Ze beweerden 'te hebben geleden' onder onze verklaringen tijdens het proces...

In Sofia werd in dezelfde periode bekendgemaakt dat het niet ondenkbaar was dat ons land op haar beurt een aanklacht tegen hen in zou dienen wegens foltering.

In februari wordt ons beroep tegen het vonnis van het Opperste Gerechtshof ontvankelijk verklaard. De eerste zitting zou halverwege het jaar kunnen plaatsvinden. Nog zes maanden gevangenis, met elkaar samenleven, geduld hebben. Ik houd me staande. Van dag tot dag.

Juni 2007,
    Hallo Zdravko,
    Vandaag hebben we bezoek gehad van Marc Pierini, die ons vertelde dat er van Libische zijde positieve signalen waren ontvangen. Hij was gisteren in Benghazi en vandaag heeft hij een afspraak met de stichting Kadhaffi. Morgen verwachten we bezoek van mevrouw Benita Ferrero-Waldner en de Duitse minister van Buitenlandse Zaken, de heer Steinmeier. Hij gaat eerst naar de kinderen.

Marc Pierini is hier het afgelopen jaar vaak geweest. De voorzitter van het Internationaal Fonds Benghazi vertegenwoordigde in Tunis de Europese Commissie. Hij was de belangrijkste speler van het actieplan van 2005. De bedoeling was geld te krijgen van de Europese Unie om een modern ziekenhuis in Benghazi te bouwen en te zorgen voor de behandeling van de kinderen. Dat was een deel van het losgeld.

Deze buitengewone diplomaat kreeg opdracht de onderhandelingen tussen de stichting Kadhaffi en de gezinnen in Benghazi te voeren.

Tot het einde toe hadden we niet de gaten hoe het precies zat met de belangen waarvan wij het middelpunt waren. Voor de journalisten buiten de gevangenis was het natuurlijk allemaal veel duidelijker dan voor ons.

Het was geen toeval dat Marc Pierini aan het hoofd stond van het internationaal Fonds Benghazi. Als adviseur voor noord-zuidrelaties van de landen rond de Middellandse Zee en de Aziatische landen onderhield hij onder meer de contacten met de internationale financiële instellingen en de VN. Vanwege zijn ervaring was hij voor alle landen een acceptabele bemiddelaar. Toen hij zich voor ons ging inzetten, vertelde hij ons: 'Ik heb stalen zenuwen en een dikke huid!'

En die had hij ook nodig. In het begin kon er bijna niet met de ouders onderhandeld worden en schoot het allemaal niet erg op. Alle voorstellen van Europa om het conflict op te lossen werden afgewezen. Ze zeiden: 'Onze artsen zijn de beste, we hebben jullie niet nodig.'

Deze arme, onwetende, haatdragende mensen boycotten de onderhandelingen. En al gaven sommige families ons gelijk, er bleef nog altijd een kern over die eiste dat we ter dood gebracht zouden worden. Om de strop van onze hals te halen was ieders instemming nodig.

De onderhandelingen tussen de Europese Commissie, Libië, Bulgarije en Groot-Brittannië waren begonnen. Ook de Verenigde Staten speelden hierin een rol.

Marc Pierini hield ons op de hoogte van de vorderingen. Er werd geen enkel belangrijk resultaat bereikt. Hij kwam over als iemand die serieus is, goed weet wat hij doet en niet gemakkelijk opgeeft.

We volgden de stroom van besprekingen via de media. Deze ontelbare onderhandelingen waaraan maar geen eind kwam, kunnen als volgt worden samengevat: Europa wil op grond van zijn humanitaire principes Libië helpen in de strijd tegen aids, maar Libië wil alles: artsen, ziekenhuizen, verzorging, en ga zo maar door, maar het belangrijkste is wel de financiële compensatie voor de gezinnen. Tot het einde toe heeft Europa geprobeerd geen contant geld te geven, maar de ouders bleven onverzettelijk: zonder schadevergoeding kregen wij geen toestemming het land te verlaten. Zo werden deze geheime onderhandelingen een gebed zonder eind.

Het Opperste Gerechtshof van Libië zou uitspraak doen om de zaak definitief af te sluiten.

11 juli 2007, ik ben opgestaan, heb gedoucht en ben voor de televisie een kop koffie gaan drinken terwijl ik luisterde naar Radio Darik. De Bulgaarse media brachten al de hele ochtend hetzelfde bericht: we verwachten dat het Opperste Gerechtshof van Libië vandaag uitspraak doet in het aidsproces.

Valya sliep nog.

Voor ons was het een dag als alle andere. Het was duidelijk dat het Opperste Gerechtshof het doodvonnis voor de derde keer zou bekrachtigen en dat het nu onherroepelijk zou zijn. Na deze beslissing kon alleen het politieke orgaan van het Opperste Gerechtshof nog ingrijpen, want dit kon straffen annuleren of verminderen.

Om twaalf uur meldde het nieuws: 'Het Opperste Gerechtshof heeft de terdoodveroordeling van de vijf Bulgaarse verpleegsters en de Palestijnse arts definitief bekrachtigd.'

Precies wat we verwachtten.

Ik zei: 'Nu eens zien of ze binnen vierentwintig uur zullen reageren zoals de Libiërs aan Marc Pierini en de ambassadeur van Groot-Brittannië hebben beloofd.'

Het Opperste Gerechtshof kon de doodstraf niet omzetten zonder de instemming van alle ouders.

We bevonden ons in een impasse. Europa ook. De gezinnen zouden niet tekenen als ze geen geld hadden ontvangen.

Veel lidstaten van de Europese Unie hadden grote sommen geld beloofd aan het fonds – ook Bulgarije, een Bulgaarse ngo en een privéonderneming. Eind 2006 was het fonds leeg.

De onderhandelingen werden opgevoerd, want Libië kon niet akkoord gaan met onze vrijlating voordat er schadeloosstelling was betaald. 'We kunnen geen vooruitgang boeken zonder geld, maar we hebben geen tijd het geld vrij te maken,' verklaarde Pierini.

Naar de televisie kijken en luisteren naar wat er over mij en mijn aangekondigde dood werd gezegd, was voor mij die dag niet het belangrijkste. Ik geloofde er niet meer in. Het ging om veel te veel geld. Ik dacht bij mezelf dat leider Kadhaffi zich dat niet zou laten ontgaan. En dan wist ik nog niet eens alles...

Het belangrijkste was de verjaardag van mijn grote zoon. Na het nieuws heb ik hem opgebeld. Ik vermoedde dat hij zwaar over het vonnis in zou zitten. 'Proficiat Slavei! Ik ga ervan uit dat we zo snel mogelijk thuis zullen zijn. Wat je vandaag ook hebt gehoord, mijn zoon, ik hoop dat ik gelijk krijg!'

Ik heb hem weer eens gezegd dat hij zich niet door de loop

van de gebeurtenissen moest laten meeslepen, en dat je in het leven niets cadeau krijgt. Slavei kreeg voor zijn dertigste verjaardag een gruwelijk cadeau. Zijn moeder werd ter dood veroordeeld. Onherroepelijk.

Uiteindelijk werd diezelfde dag door de stichting Kadhaffi verklaard dat de gezinnen van de met aids besmette kinderen een schadevergoeding hadden ontvangen. 'Wij hebben een compromis gevonden dat voor alle gezinnen aanvaardbaar is,' verklaarde de voorzitter van de stichting. 'Alle partijen zijn tevreden met deze entente, die een einde aan de crisis maakt.'

De gezinnen hebben een miljoen dollar ontvangen. De betaling was mogelijk geworden aangezien Libië ook haar steentje had bijgedragen. Officieel heeft het door Marc Pierini vertegenwoordigde fonds een lening verstrekt aan het Fonds voor Economische en Sociale ontwikkeling van Libië.

De Libische regering en de gezinnen zijn dit bedrag overeengekomen. Bulgarije heeft een Libische schuld van zevenenvijftig miljoen dollar omgezet in een gift aan het fonds – heel wat ingewikkelde financiële en diplomatieke operaties, die we zo goed en zo kwaad als het ging probeerden te begrijpen.

Eén ding was nu wel duidelijk: het einde van onze lijdensweg kwam dichterbij. Libië heeft ons haar hele juridische systeem laten doorlopen en de hele wereld via ons voor het blok gezet. We waren het lokaas waarmee Kadhaffi op geld viste.

Maar we waren nog niet weg. Hiervoor was nog een politieke manoeuvre nodig, waarvan ik niet vermoedde dat die zo snel zou plaatsvinden. En nog een vernedering.

17

HET WONDER

We waren het beu naar het nieuws te luisteren. Tot het einde toe hadden de ouders van de kinderen geweigerd een verzoek tot gratie voor ons in te dienen. Terwijl wij probeerden vast te stellen hoeveel betrokken gezinnen schadevergoeding zouden krijgen terwijl wij niet eens schuldig waren aan hun ellende, kwam Marc Pierini.

We waren niet voorbereid op wat hij ons te zeggen had. 'Ieder van jullie moet een verklaring ondertekenen waarin wordt toegezegd Libië noch een van haar inwoners of ambtenaren te beschuldigen en geen enkele schadevergoeding te eisen.'

We moesten dus domweg alles vergeten wat we hadden meegemaakt – de martelingen, acht jaar gevangenis, valse beschuldigingen, onze geschonden eer, ga zo maar door. Het kwam erop neer dat we onszelf moesten minachten! Op grond waarvan?

Ik nam het woord: 'Toen ze bekentenissen afdwongen, me dwongen deze te ondertekenen in het bijzijn van een officier van justitie die het geen barst interesseerde of ik gefolterd was of niet, voelde ik me net zo vernederd als nu.'

'Het is de laatste stap naar vrijlating. Wij raden u aan te ondertekenen.'

'Dat betekent dat we eens temeer worden gedwongen tegen onze zin te ondertekenen.'

Ter dood veroordeeld en zonder enige zekerheid dat we niet nog jaren in deze gevangenis zouden wegkwijnen, hebben we het document ondertekend.

Als troost hebben we nog een andere verklaring ondertekend, die van geen enkele waarde was, en waarin we verklaarden dat we helemaal niets met de aidsepidemie te maken hadden. Hoewel Marc Pierini alles heeft gedaan wat in zijn vermogen lag om dit document door de Libiërs te laten aannemen, hebben ze categorisch geweigerd onze eer te herstellen. Dat was nog vernederender dan de rest.

Marc Pierini en de ambassadeur van Groot-Brittannië hebben ons uitgelegd dat dergelijke documenten ook waren ondertekend in de Lockerbie-affaire.* Er werd ons bevestigd dat er in ons sinistere avontuur nóg een component van de Libische chantagestrategie zat. We hadden al zo'n vermoeden.

Officieel heeft Europa nooit erkend dat er een verband tussen beide processen bestond. In werkelijkheid lag het anders. We waren bang dat Libië ons niet naar Bulgarije liet terugkeren voordat de Lockerbie-affaire opnieuw zou worden onderzocht.

Er werd ons verteld dat er tijdens de ontmoeting tussen Tony Blair en Kadhaffi een memorandum was ondertekend over een toekomstig akkoord omtrent de uitwisseling van gevangenen. Het zou een jaar duren voordat de terugkeer van Abdel Basset al-Megrahi naar zijn land mogelijk was. De grootste pessimisten onder ons zeiden: 'We komen hier nooit weg zolang Megrahi niet is vrijgelaten.'

---

* Na de aanslag op 12 december 1988 tegen een Pan-Am-vliegtuig boven Lockerbie in Schotland werden twee Libische staatsburgers als verdachten beschouwd. Omdat Libië weigerde hen aan de rechterlijke macht uit te leveren, werden er sancties tegen het land genomen.

Aanvankelijk was er, in ieder geval voor ons, geen duidelijke reden om een verband te leggen tussen de processen van Lockerbie en van Benghazi, maar het werd logisch voor ons toen we feiten die we tijdens onze jaren in de gevangenis hadden vernomen naast elkaar legden.

Op 9 februari 1999 verklaart de Libische regering officieel dat als de van de aanslag verdachte Libiërs eenmaal veroordeeld zijn, ze hun gevangenisstraf in Libië moeten uitzitten. Dezelfde nacht worden wij gearresteerd en vervolgens worden zes van ons beschuldigd aan een complot te hebben meegewerkt tegen Jamahiriya, dat is opgezet door de FBI en de Mossad.

5 april 1999: na een embargo en een politiek isolement van Kadhaffi van zeven jaar worden twee Libiërs uitgeleverd aan afgezanten van de VN om in Nederland te worden berecht. Ze bekennen de aanslag te hebben georganiseerd. Dit leidt tot de terugkeer van Libië in de internationale gemeenschap.

Tien dagen eerder, op 25 en 26 maart 1999, ondertekenen wij na foltering onze bekentenissen. In ongeveer dezelfde periode overwegen de Libische strategen de mogelijkheid gebruik te maken van het aidsdrama in de stad Benghazi, een stad die bekendstaat om haar verzet tegen het regime. Voor Libië is deze epidemie het gevolg van het embargo, dat Jamahiriya onterecht vindt.

Het is bekend dat de vele besmette kinderen in die stad niet de eerste gevallen zijn, al beschikken we niet over officiële statistieken. In 1998 werden al meer dan honderd bloedmonsters uit Libië voor onderzoek naar een gespecialiseerd laboratorium in Genève gestuurd. Slechts één ervan was negatief.

In 2001 beginnen de onzichtbare draden tussen Lockerbie en Benghazi elkaar te kruisen. Het proces van beide Libische terroristen in Nederland duurt drieëntachtig dagen.

Voor het Libische Volkstribunaal wordt het proces tegen ons gevoerd, we worden beschuldigd van een 'complot tegen de staatsveiligheid'.

In april van hetzelfde jaar houdt Kadhaffi in Abuja een opzienbarende toespraak waarin hij verklaart dat het proces van Benghazi van wereldomvang zal zijn, net als dat van Lockerbie. Dat is de eerste keer dat er officieel een verband tussen beide processen wordt gelegd. Er zijn tientallen overeenkomsten en Libië verklaart al jaren dat het geen toeval is.

In augustus 2003 erkent Libië onder buitengewoon veel druk, sancties en het embargo dat het verantwoordelijk is voor de aanslag en stemt erin toe 2,7 miljard dollar compensatie te betalen aan de tweehonderdzeventig gezinnen van de slachtoffers.

Het Volkstribunaal verklaart vervolgens dat wij niet aan een complot hebben deelgenomen, en verwijst onze zaak naar een gewone strafrechtbank.

Libië staat op de lijst van landen die het terrorisme steunen en in 2003 wijst niets erop dat het ervan af zal worden gehaald. De spectaculaire gevangenneming van Saddam Hoessein vergroot de angst van Kadhaffi: als de Verenigde Staten besluiten tot radicale veranderingen in Libië zal niets hen tegenhouden. Hij gaat zich dus netjes gedragen.

Als hij eenmaal van de lijst met leiders die het terrorisme steunen is afgehaald, wordt zijn terugkeer op het internationale toneel in gang gezet. Voor Libië is Megrahi onschuldig. Het Lockerbie-proces is onrechtvaardig en de veroordeling van Megrahi berust op geen enkel tastbaar bewijs.

Tien dagen na de eerste bevestiging van onze doodstraf – op 19 december 2006 – houdt Kadhaffi een beroemd geworden toespraak. In zijn residentie in Bab el-Azizia spreekt de leider ten overstaan van vertegenwoordigers van de Europese Unie en diplomaten opnieuw over het aidsproces. Er bevinden zich in het publiek enkele buitenlandse vrouwen in verpleegsters-uniform. Met betrekking tot de druk die door de internationale gemeenschap wordt uitgeoefend voor de vrijlating van de Bulgaarse vrouwen, haalt Kadhaffi de zaak-Megrahi aan en verklaart: 'Hij is onschuldig en zit in de gevangenis. Omdat hij niet kan worden vrijgelaten blijven zij ook in de gevangenis.'

Voorzover ik weet hoopt de tot levenslang veroordeelde Megrahi dat de beroepsprocedure in gang kan worden gezet en dat hij zo zijn onschuld kan aantonen.*

Ik heb tot het laatste moment in een wonder geloofd.

Ik had niet de kracht het nog een jaar vol te houden en was ervan overtuigd dat de zaak in de zomer zou worden afgerond. Ik had daar geen enkel argument voor; ik bad alleen dat de Europeanen voor wie deze strijd een erezaak was geworden, de druk niet van de ketel zouden halen.

Het Opperste Gerechtshof kwam op 16 juli 2007 bijeen. Die dag zaten we allemaal voor de televisie. We probeerden alle zenders en hoorden telkens hetzelfde, namelijk niets.

Ik heb een icoon op de keukentafel gezet. Ik maakte een al-taartje. Ik had alle kaarsen van acht paasfeesten bewaard en ik heb ze voor de icoon aangestoken. Ik bad voortdurend. 'Moge God me vergeven en een einde maken aan mijn lijden.'

---

* De Schotse Commissie voor Herziening van Rechtszaken heeft besloten het vonnis dat is uitgesproken tegen de Libische staatsburger Abdel Basset al-Megrahi te herzien. De Commissie heeft in haar beslissing van 28 juni 2007 bepaald dat het Schotse Opperste Gerechtshof de grondslag van het vonnis dient te herzien en heeft opdracht gegeven deze zaak op-nieuw naar het hof te sturen om uitspraak te doen vanwege het door al-Megrahi aangetekende beroep.

De uren die we op dit ultieme vonnis hebben gewacht leken de langste van de afgelopen jaren. Niets, niets, niets.

Ik was niet bang. Ik wist dat ze ons niet zouden doden. Ze hadden ons levend nodig. Maar hadden ze ons nog in de gevangenis nodig?

Ik ben in slaap gevallen. Geen enkel nieuws op de televisie.

Op 17 juli heeft het Opperste Gerechtshof eindelijk een beslissing genomen: levenslang.

Toch hadden de westerse diplomaten stellig beweerd: 'We zullen ervoor vechten dat er in de veroordeling rekening zal worden gehouden met de in de gevangenis doorgebrachte jaren. We willen volledige amnestie. Dan kunnen jullie onmiddellijk weg.'

Ze hadden er geen idee van welke oplossing Libië zou kiezen: de slechtste. Deze veroordeling tot levenslang klonk voor ons als de doodsklok. Zo zouden de Libiërs ons op wettige gronden zo lang kunnen vasthouden als ze nodig vonden. We zouden dus samen oud worden.

De tijd zou stilstaan. We huiverden bij de gedachte dat ons lot afhing van politieke en financiële belangen. Waar was de weg naar het licht? Zou er een wonder gebeuren?

In de gevangenis heb ik geleerd maskers aan te brengen, te epileren, schoenen zonder schoensmeer te poetsen en te borduren.

Voordat mijn leven zo overhoop werd gehaald, vond ik vrouwen die borduurden belachelijk. Ik vond het niet normaal naar zulke piepkleine steekjes te gaan zitten turen terwijl de wereld zo groot was.

Maar je moet nooit nooit zeggen. In vier jaar heb ik vijf borduurwerken gemaakt met heel kleine steken. Met name *Het Arabische meisje*, de *Molen* van Brueghel, en het laatste waar ik aan begon was *De zonnebloemen* van Van Gogh. Ik had nog een week nodig om het af te maken. Ik was bang met ieder steekje verder van huis te raken.

En toen gebeurde het wonder.

23 en 24 juli 2007. Er wordt een groot politiekordon rond de cellen opgetrokken. Dat is voor het eerst. Nog geen enkele hoogwaardigheidsbekleder die ons tot nu toe heeft bezocht, had recht op een dergelijke beveiliging. Er stond iets te gebeuren. Als het toch eens HET zou zijn! Het 'iets' bleek een dame te zijn. Mevrouw Sarkozy is terug.

Tien dagen eerder was ze ook bij ons, en toen beloofde ze dat ze de volgende keer samen met ons zou vertrekken.

We hadden de Franse president zelf horen spreken toen hij nog kandidaat was. Ik herinner me zijn woorden: 'Als het moet ga ik ze zelf halen!'

Dat hadden we wel gehoord, maar we wisten niet wie er zou komen, we wisten niets. Wij dachten dat het gewoon verkiezingspraatjes waren.

Toen zijn echtgenote ons in de gevangenis kwam opzoeken, kwam ze erg overtuigend en energiek over. Er kwam een heel slanke, tamelijk lange vrouw binnen, die eenvoudig gekleed was – een broek en een witte trui – en die zelfverzekerd sprak.

Maar wij waren onverbeterlijke sceptici geworden! Toen ze weg was dachten we dat ze gewoon de zoveelste bezoeker was die een belofte kwam doen.

De geruchten over ons vertrek deden al een hele tijd de ronde. Mijn grote koffers stonden al een jaar gepakt te wachten in een van de vertrekken van de ambassade. We waren gewaarschuwd dat indien we zouden gaan, het snel zou gebeuren. Ik had in de gevangenis dus alvast maar geoefend. Ik had berekend dat ik een kwartier nodig zou hebben om mijn reistas te pakken.

Ik was er permanent klaar voor. Ik wachtte alleen nog maar op een teken.

Tegen de anderen had ik gezegd: 'Als ik hier op 30 juli niet weg ben, wil ik niemand meer ontmoeten. Europese diplomaten interesseren me niet meer. Vraag me ook niet meer om te tolken. Ik ben er voor niets en niemand meer.'

Ik meende het heel serieus. Ik kon geen nieuwe teleurstelling meer verdragen.

Het gerucht dat mevrouw Sarkozy terug zou keren ging alleen in de gevangenis. Het werd nergens bevestigd.

We gingen slapen.

's Ochtends om vier uur kwam een politieagente naar de kamer waar Nasya en ik sliepen. Ze klopte me op mijn schouder: 'Sta op, de chef wil dat je bij hem komt.'

Ik wist dat er maar één reden bestond mij op een dergelijke tijd te roepen. Het ging er ditmaal niet om te vertalen wat de zoveelste bezoeker zei.

'Zorg dat jullie klaarstaan. Over een uur of drie zal mevrouw Sarkozy...'

Ik heb niet eens naar de rest geluisterd, ik had het begrepen.

'We moeten uw vingerafdrukken nemen en u dient het ontslagprotocol te ondertekenen.'

In achtenhalf jaar hebben ze nooit vingerafdrukken genomen. Niet eens bij onze gevangenneming, terwijl dat toch het moment bij uitstek was om dat te doen. Bovendien moesten we alweer een papier in het Arabisch ondertekenen!

Ik werd kwaad: 'Ik teken niets. Praat maar met de Bulgaarse diplomaten.'

Ik liep terug naar mijn kamer en wekte de anderen: 'Allemaal spullen pakken!'

Het Kleintje vroeg wantrouwig: 'Waarom?'

Ze vond altijd wel een reden om te twijfelen. Om de waarheid niet te zien.

Iedereen begreep het onmiddellijk.

Ze openden allemaal hun kast, pakten hun spullen en liepen wat verloren rond – geen van ons wist goed raad met de situatie. Er spookten duizenden dingen door mijn hoofd. De tijd schoof ineen. Zo snel van de ene situatie in de andere stappen is absurd. Al had ik me nog zo goed voorbereid en de tijd berekend die ik nodig had om mijn tas te pakken, toen, bij de voorbereiding, bleef de opwinding uit. Maar ik heb de tijd.

We moesten de volgende etappe doorstaan. De menigte, de fotografen. Maar eerst weg hier, weg uit de gevangenis! Via het hok van de directeur voor onze vingerafdrukken.

Dimitrov, de diplomaat, is gearriveerd. Het is goed dat hij er is, want de Libiërs weten uiteindelijk helemaal niet wat ze moeten doen. Geschrokken van het belang van hun taak en de verantwoordelijkheid doen ze niets meer. Dimitrov neemt rustig de teugels in handen. Hij is altijd rechtdoorzee, open en welwillend. En ik ben nog altijd wantrouwig. 'Ik waarschuw u dat ik niets in het Arabisch onderteken! Maar de vingerafdrukken zijn oké.'

'Die zijn niet in het Arabisch.'

Ik heb mijn handtekening gezet onder iets wat ik zie als een ruilhandel tussen Europa en Libië onder leiding van Frankrijk, om ons te bevrijden. We waren koopwaar geworden bestemd voor de export. Waarom niet?

Memorandum inzake de betrekkingen tussen Libië
en de Europese Unie

De Groot Libisch-Arabische Socialistische Volks-Jamahiriya,
hierna genoemd 'de eerste partij', en de Commissie van de

Europese Unie, hierna genoemd 'de tweede partij', vinden het beide wenselijk dat er een regeling komt voor het drama van de kinderen die in het ziekenhuis van Benghazi zijn besmet met het aidsvirus, maar tevens inzake het vonnis betreffende het Bulgaarse medisch personeel,

Ter bevestiging van de overeenkomsten die het resultaat zijn van ontmoetingen en briefwisselingen van vertegenwoordigers van Groot-Jamahiriya en de Commissie van de Europese Unie met als doel een bevredigende regeling te treffen voor voornoemde kwestie, rekening houdend met hun respectievelijke besluitvormingsprocedures,

De humanitaire aspecten van deze kwestie in overweging nemend en met het doel het lijden te verzachten van de gezinnen waarvan kinderen zijn overleden of nog lijden aan de infectieziekte,

Overeenkomstig de inschikkelijke houding en de vergevingsgezindheid van de gezinnen van de slachtoffers, in antwoord op de oproep tot kwijtschelding met name van de staatshoofden en regeringsleiders van de Europese Unie en van andere instellingen die de eerste partij hebben gebracht tot het nemen van een initiatief bedoeld om de straf van het Bulgaarse medische team te verminderen,

Vanuit de wens dit drama achter zich te laten en ter bevestiging van hun bereidheid de obstakels weg te nemen die een normaal verloop van de betrekkingen belemmeren, belang hechtend aan het aangaan van samenwerking op alle gebieden,

Komen de twee partijen overeen dat de toekomstige betrekkingen tussen Libië en de Europese Unie gebaseerd moeten zijn op de volgende elementen:

Artikel 1

De tweede partij verbindt zich ertoe dat het Internationaal Fonds Benghazi zal uitbetalen aan het Fonds voor Economische en Sociale ontwikkeling het bijeengebrachte bedrag ter hoogte van 598 miljoen Libische dinar in het kader van het financieringsakkoord van 15 juli 2007 en de bijlage ervan.

Artikel 2

Inzake de medische behandeling van de kinderen die slachtoffer zijn van de besmetting in Benghazi zal de Europese Unie op lange termijn haar verbintenis blijven nakomen dat er gezorgd zal worden voor medische behandeling conform de internationale normen. De Europese Unie staat garant voor de behandeling in Europese ziekenhuizen van de kinderen die specialistische zorg behoeven, gefinancierd door de EU en bepaalde lidstaten die zich hiertoe bereid hebben verklaard. Verschillende lidstaten zullen kinderen in hun ziekenhuizen blijven opnemen. Voorts wordt bepaald dat Frankrijk zich eveneens verplicht het nieuwe ziekenhuis van Benghazi uit te rusten en technische ondersteuning zal bieden voor de ingebruikneming ervan.

Artikel 3

De Europese Unie verbindt zich eveneens ertoe haar steun aan het anti-aidsplan en de nationale Libische aanpak om deze ziekte te bestrijden voort te zetten en hiertoe extra bedragen toe te kennen.

Artikel 4

De Europese Unie onderneemt de nodige stappen om ervoor te zorgen dat het Centrum voor Besmettelijke Ziekten in

Benghazi een toonaangevend centrum wordt in de regio en multilaterale hulp krijgt.

Artikel 5

De tweede partij verbindt zich ertoe de Raad van Ministers van de Europese Unie de volgende bepalingen voor te leggen met het oog op een toekomstige specifieke overeenkomst tussen Libië en de Europese Unie, waarover zal worden onderhandeld met inachtneming van de juridische procedures van de Raad en de Commissie van de Europese Unie:

1. *maatregelen nemen om een zo breed mogelijke toegankelijkheid te bevorderen voor Libische export naar de Europese markt, met name voor landbouw- en visserijproducten,*
2. *technische hulp bieden op het gebied van archeologie en restauratie, en deelnemen aan de financiering ervan,*
3. *materiaal leveren en plaatsen voor de bewaking van de Libische land- en zeegrens om clandestiene emigratie het hoofd te bieden, op kosten van de EU,*
4. *zorgen voor studiebeurzen en scholingsbijdragen ten bate van Libische studenten op Europese universiteiten op alle vakgebieden,*
5. *visa A (Schengen) verlenen aan inwoners van Groot Jamahiriya als tegenprestatie voor het afschaffen van visa voor inwoners van de Europese Unie.*

Artikel 6

De eerste partij neemt onmiddellijk passende maatregelen met betrekking tot het overbrengen van het medische team naar Bulgarije overeenkomstig de akkoorden tussen Libië en Bulgarije voor juridische samenwerking ondertekend in Tripoli op 8 maart 1984. Bulgarije dient de verplichtingen van artikel 43 van voornoemd akkoord na te komen.

Opgemaakt te Tripoli, 23 juli 2007, in de twee talen Arabisch en Frans, met gelijke rechtskracht.

Voor Groot Jamahiriya
Abdelati al-Obeidi:
Staatssecretaris voor Europese Zaken

Voor de Europese Commissie
Benita Ferrero-Waldner:
Commissaris voor Buitenlandse Betrekkingen en Europees Nabuurschapsbeleid

18

IN SNELTREINVAART NAAR DE VRIJHEID

Er stroomden politiemensen toe, wat opschudding veroorzaakte. 'Vlug, vlug!'

Ik schreeuwde naar ze: 'Waarom ineens zo veel haast na achtenhalf jaar?

Ze hadden geen idee van wat er gebeurde. Ze hadden waarschijnlijk opdracht gekregen ons onmiddellijk te gaan halen en waren in paniek.

Op het vliegveld wachtten al uren belangrijke mensen. Zo waren daar onder meer Cécilia Sarkozy, de vrouw van de Franse president; Benita Ferrero-Waldner, de commissaris voor Buitenlandse Betrekkingen van de Europese Commissie; Claude Guéant, algemeen secretaris van de Franse president; Marc Pierini, de voorzitter van het Internationale Fonds Benghazi; Saleh, de rechterhand van Saif Kadhaffi en hoofd van het protocol Mismari, een vertrouweling van de leider. De ambassadeur van Frankrijk moest met een taxi naar het vliegveld komen; in de Libische paniek waren de Franse diplomatieke auto's leeg vertrokken.

Iedereen wachtte op ons, ver van het tumult van de gevangenis, waar ze ons nu als gekken lieten draven. Terwijl de Libiërs al een uur lang geen haast maakten, wachtend op het ochtendgebed en het moment waarop het licht zou worden.

Ik kwam als laatste de gevangenis uit. Ik herinnerde me een vreemde droom terwijl ik achtereenvolgens door de eerste deur, de binnenplaats over en door de grote gevangenispoort liep. Een droom van jaren geleden op de politiehondenschool in de Nasserstraat in Benghazi, tijdens de verhoren...

Ik klom tegen een enorm hoog duin op en duwde de anderen voor me uit. Ze vielen terug, gleden uit en ik hielp ze opnieuw te beginnen, ik duwde ze tot ze ten slotte allemaal over de top van het duin gingen, waar ik als laatste aankwam...

24 juli 2007, 5.30 uur. Vijf jeeps van de speciale eenheid rijden zonder sirene en zonder licht in colonne de gevangenis uit. Richting vliegveld. 'Waar is Zdravko?'

'Hij heeft vannacht in de ambassade van Groot-Brittannië geslapen. Hij zit al in het vliegtuig.'

Terwijl ik sliep hadden de diplomaten en mevrouw Sarkozy hun laatste troef uitgespeeld. Ik wist niet dat Cécilia om twee uur 's ochtends had besloten te vertrekken en dat er een speciaal vliegtuig compleet met bemanning voor haar klaarstond.

Het akkoord voor de overdracht is op het vliegveld getekend op het moment dat wij daar aankwamen.

Pas op het laatste ogenblik is het Franse exemplaar van het *Memorandum inzake de betrekkingen tussen Libië en de Europese Unie* ondertekend.

De documenten zijn zonder formeel kader, zonder bureaucratische rompslomp opgesteld. Het kon niet anders. Mevrouw Ferrero-Waldner en mevrouw Sarkozy toonden karakter en durf. Als vrouwen van eer.

Europa kon het zich nu niet veroorloven te verliezen. En Libië had duidelijk gemaakt dat het altijd wel iets kon vinden om onze terugkeer uit te stellen.

Ze gaven ons niet meteen toestemming om in te stappen.

Eerst is de bewaker uit de jeep gestapt. Daarna heeft hij de bagage eruit gehaald. Toen had Marc Pierini ineens de indruk dat er iets niet klopte.

Spelregels bestonden hier niet. We wisten heel goed dat akkoorden met de mensen van Kadhaffi nooit definitief zijn. Zelfs Marc Pierini, voorzitter van het Internationale Fonds Benghazi, via wie al het geld naar de getroffen gezinnen ging, heeft uiteindelijk zijn portie vernedering gehad. Ze hadden hem toegezegd ons vanuit de gevangenis in een diplomatieke auto naar het vliegveld te brengen. Twee uur voor de ondertekening van het memorandum, toen hij besloot naar Djoudeida te komen, hebben ze hem weggestuurd met het volgende bericht: 'We hebben geen orders.'

Er moest meer aan de hand zijn dat ze ons alweer lieten wachten.

Marc Pierini had zonder nadere uitleg tegen ons gezegd dat de Libiërs de onderhandelingen voortdurend traineerden door één stapje voorwaarts en vervolgens weer eentje naar achteren te zetten. Het ging op dat moment waarschijnlijk om de definitieve handtekening van de Libische leider. Een handtekening die ik later op het Franse exemplaar heb gezien. Een bibberig lijntje dat een Arabische letter moest voorstellen.

Mevrouw Benita Ferrero-Waldner hield dit Franse exemplaar stevig in haar hand. Zonder dit exemplaar was het memorandum waardeloos. Eindelijk was het ondertekend.

Ze hield het goed vast, tot we bij de trap van het vliegtuig kwamen.

Het is eindelijk licht geworden en we lopen over een rode loper. Iedereen die ervoor gezorgd heeft dat we kunnen vertrekken, is op het vliegveld van Tripoli aanwezig. We lopen door. Ik zie het vliegtuig. Het Franse vliegtuig. Een echt vliegtuig. Cécilia Sarkozy is al ingestapt. Er valt geen tijd te verliezen.

Kort voordat we de trap oplopen duwt iemand me een telefoon in handen en zegt: 'President Nicolas Sarkozy.'

Het is lawaaiig, het rumoer rond een haastig vertrek... Ik begrijp dus niets van wat hij zegt maar antwoord toch in het Engels: 'Dank u... Ja, we zijn op het vliegveld. Hartelijk dank.'

Ik zie Zdravko meteen, hij zit in het vliegtuig. We omhelzen elkaar, hij was zo bang dat het vliegtuig zonder mij zou vertrekken...

Cécilia Sarkozy is erg ontroerd. We hebben met elkaar gepraat. Ik weet niet meer waarover. Ik ben verstrooid. Het vliegtuig stijgt al op, alles is uiteindelijk tamelijk snel gegaan, ondanks de traagheid en wanordelijkheid van de Libiërs. Ze waren overrompeld door de snelheid waarmee de beslissing ineens was genomen.

En daar zit ik, in een vliegtuig dat opstijgt. Het dringt maar niet tot me door dat ik vrij ben.

Vanuit de cockpit klinkt: 'We hebben zojuist het Libische luchtruim verlaten!' Iedereen heeft een sigaret opgestoken. Voor één keer mag dat: de sigaret van de vrijheid.

Ik heb geen zin dit moment met iemand te delen. Ik moet nu tot mezelf komen. Weer mezelf worden.

Iemand zegt me, ik weet niet meer wie: 'Pas een beetje op met de media als we in Sofia komen.'

'Tot wanneer?'

Ik weet niet hoe ik me gedroeg toen ik daar als eerste in de deuropening van het vliegtuig verscheen op het vliegveld van Sofia. Maar ik zag er goed uit, helemaal in het wit.

Een paar minuten na de aankomst van het medische team in de terminal van de regeringsluchthaven van Sofia verklaart vicepremier Ivailo Kalfin dat de Bulgaarse verpleegsters door president Georgi Parvanov zijn vrijgesproken. Ashraf krijgt

onmiddellijk de Bulgaarse nationaliteit, waarop hij in Libië al
drie jaar wachtte.

Onschuldig verklaard. Op onze geboortegrond. Ik verbaas
me dat het me zo weinig doet. Je wacht zo lang op het moment van terugkeer dat je er ongevoelig voor wordt.

Mijn hart is er niet sneller van gaan kloppen. Geen adrena-
line. Niets.

Het lijkt alsof alles buiten mij om gaat. Net als al die jaren
voor de rechtbank ben ik ook nu toeschouwer van mijn eigen
vrijheid, neem ik niet werkelijk deel aan wat er gebeurt.

Het lukt me niet het pantser te doorbreken dat ik in al die
jaren heb gesmeed om te kunnen overleven... Ik heb me zo in-
gespannen om mezelf tegen het kwaad te beschermen dat ik
onbereikbaar ben geworden voor het goede. Geen emoties
meer; het ergste wat je kunt verliezen. De verveling heeft zich
meester van me gemaakt.

Daarginds zeiden ze dat ik er niet levend uit zou komen. Ik
ben met een beschadigde ziel teruggekomen.

Van het vliegveld worden we naar het paleis gebracht. Ik
vind het allemaal best. Ik kan overal zijn. Ik wil niet meer
denken.

Het is niet eenvoudig om van vrijheid te genieten.

Ik moet mijn zelfrespect en mijn interesse voor het leven te-
rugkrijgen.

Acht jaar lang heeft niemand tegen me gezegd dat ik mooi
was, dat ik een obstakel had overwonnen, dat ik sterk was.

Verward lopen we door de ontvangstzalen van het Boïna,
waar alles van marmer is. Wij vijven zijn met Ashraf en Zdravko de enigen die in het paleis verblijven. Maar het interesseert
ons niet. Gevangenen in pyjama. Herinneringen, geen pijn,
een gestolen glimlach, verborgen haat, het geluid van een deur
waarop wordt geklopt. Nieuwe kleren, oude gezichten. Naas-

ten uit een ver verleden. Terug naar wat we ooit zijn ontvlucht.

Voor het eerste weer op straat zonder bewakers. Een eerste
whisky. Met veel water en ijs.

'Mag ik naar de tuin?'

Je weet dat je het niet hoeft te vragen, maar het gebeurt van-
zelf. Ik ben er zo aan gewend geraakt dat een ander voor me
beslist. De beelden lopen door elkaar heen. Ik wil alleen zijn.
Alleen. Alleen. Jarenlang heb ik deze luxe moeten ontberen –
alleen zijn.

Ik kan niet slapen. Ik word wakker en mijn hoofd zit vol met
spookbeelden van gesprekken, mensen en gebeurtenissen. In
de gevangenis sliep ik als een roos. De eentonigheid van mijn
leven hield me 's nachts niet uit mijn slaap.

Alles is nieuw voor me. De straten, het geld, mobiele telefoons. Vooral de mensen. Ik kan me niet meer verbergen. Ze
denken dat ik gelukkig ben. Ik ben moe en ik voel me schuldig omdat ik niets voel.

Ik ontvlucht mijn familie. Ze vinden dat ik er goed uitzie, ze
vragen me te vertellen, ze huilen waar ik bij ben, het is ondraaglijk. En vervelend.

De enige die weet hoe ze me moet benaderen, is Eva. Mijn
jeugdvriendin. 'Ik vind niet dat je veranderd bent. Je bent nog
dezelfde.'

Ik dacht dat ik nooit meer dezelfde zou zijn...

Eva gaat door alsof ze het tegen zichzelf heeft. 'Jij liep altijd
met opgeheven hoofd. Alleen jij weet wat je hebt meegemaakt, maar je kunt het niet aan je zien.'

Met opgeheven hoofd. Vrij, maar in Libië nog altijd schuldig.
Diep in mijn geschonden ziel blijft een grote woede achter.

Mijn eer als verpleegkundige, al is die mij in mijn eigen land en de rest van wereld teruggegeven, is ginds gebleven. Met het spookbeeld van de vrouw die ik hiervoor was. Zonder vrees of blaam. Maar lichtzinnig.

Ik weet dat alles wat er is gebeurd een teken is. God zei tegen me: 'Stop, je bent te ver gegaan.'

Ik zocht het geluk in materiële zaken, ik wilde te graag lachen, feesten, te veel vrienden, vrijheid, restaurants, kleding, complimentjes en noem maar op.

Ik was alleen met mezelf bezig en liet Zdravko, mijn moeder en mijn zoon in de steek.

Ik zou mezelf zo graag willen vergeven dat mijn zoon niet heeft gekregen wat hij nodig had. Ik heb het niet over biologisch meel maar over aandacht, een luisterend oor, moederliefde.

Zdravko... Ik heb al die jaren veel van hem gehouden, maar hij was altijd degene die bereid was een compromis te sluiten.

Ik was verzot op materiële dingen. Daarom heeft God me aan deze beproeving onderworpen. Hij heeft me geleerd dat ook de geest telt, dat ik bescheiden moet zijn.

Hij heeft me laten zien dat niet alles van mij afhangt en mijn weg niet altijd de juiste is. De mens moet er voortdurend op letten het evenwicht te bewaren tussen rede, geest en materie. Een grote ramp is niet voldoende. De waarheid ligt in de toewijding.

In de gevangenis heeft God het me aan al het aardse laten ontbreken waaruit mijn leven tot dan toe bestond.

Ik heb geleerd eenvoudige dingen te waarderen. Ik heb geleerd dat het lijf met minder genoegen kan nemen om door te gaan. Ik heb geleerd dat je zelfs zonder liefde niet sterft. Dat een vriendin verraad kan plegen, al heb je haar alles gegeven.

Ik heb de warmte van een vriendelijk woord gevoeld. Een warmte die zelfs een bontmantel nooit zal geven.

Het waren dure lessen. Maar ik heb ze gekregen omdat ik ze nodig had.

Ik ga door met leren te vergeven. Dat is het moeilijkst. Ik kan het niet, ik kan niet van verraders houden. Ik probeer lafheid te vergeven. Ik wil geen wraak, ik wil zielenrust. Ik wil af van alle teleurstellingen. Het boek van het verleden sluiten, en niets en niemand mag het meer voor me openen.

Ik wil naar het graf van mijn vader en een gedenkteken voor hem oprichten. Ik wil mijn zoon helpen, als het van hem mag. Ik wil weer aan de mensen wennen. Weer leren huilen. De brokstukken van mijn ziel bijeenrapen. Mijn ziel helen. Kunnen vergeven. Weer lachen. Deze les leren. Kennismaken met het Bulgarije dat ik zo slecht ken.

En samen met Zdravko oud worden. Hem gelukkig maken. Hem meer geven dan penssoep. Alles voor hem. De anderen zijn slechts passanten op onze levensweg. En ik geloof dat je alles goed kunt maken zolang er leven is...

Ik heb een besluit genomen. Ik moet absoluut weten of ik nog in staat ben bang te zijn. Ik wil mijn gevoelens terugvinden; dat is misschien de beste manier, via mijn eigen therapie, net als altijd. Zdravko huilt, is ontroerd, zijn ziel is intact gebleven, ik hield van hem om zijn kinderziel, hij is niet veranderd.

Maar ik ben vergeten wat angst is. Ik ben zozeer de angst voorbij geweest...

Ik ga mezelf in gevaar brengen om te weten of ik nog in staat ben gevoelens te hebben. En gewaarwordingen. Ik heb besloten aan een elastiek van een brug te springen. Ik heb de plek al gevonden. Ik moet gewoon die sprong in de leegte wagen, mezelf bang maken, als het nog mogelijk is.

Ik heb mezelf nooit beklaagd, ik heb altijd stand willen houden, de situatie meester willen blijven. Maar ik heb de verschrikkelijkste martelingen meegemaakt, de totale vernietiging van mijn persoonlijkheid, waarbij ik niets meer was – vernederd noch bang – om maar niet te hoeven sterven onder de klappen en de elektrische schokken. Tijdens die monsterlijke handelingen ben ik mijn ziel kwijtgeraakt.

Ik ben het vermogen om te voelen kwijtgeraakt. Ik wil het terugvinden.

De leegte zal me het antwoord geven.